가슴 떨릴 때 GO!
제주 한달살기

# 가슴 떨릴 때 GO!
## 제주 한달살기

| | |
|---|---|
| 발 행 일 | 2024년 5월 10일 |
| 지 은 이 | 박종섭 |
| 편    집 | 권 율 |
| 디 자 인 | 김현순 |
| 발 행 인 | 권경민 |
| 발 행 처 | 한국지식문화원 |

| | |
|---|---|
| 출판등록 | 제 2021-000105호 (2021년 05월 25일) |
| 주    소 | 서울시 서초구 서운로13 중앙로얄빌딩 B126 |
| 대표전화 | 0507-1467-7884 |
| 홈페이지 | www.kcbooks.org |
| 이 메 일 | admin@kcbooks.org |
| ISBN | 979-11-7190-018-3 |

ACTIVITY

# 가슴 떨릴 때 GO!
## 제주 한달살기

글.사진
**박종섭**

HEALING

한국지식문화원

# 프롤로그

　'여행'이라는 단어를 들으면 절로 설렌다. 여행의 주제도 다양하다. 처음 집을 나설 때, '푹 쉬며 즐기다 와야지' 하고 떠났었다. 책도 읽고 여유를 가져보려고 노트북이며 책도 한 가방 챙겨서 떠났다. 결론적으로 책은 한 권도 제대로 보지 못했다.

　"내 그럴 줄 알았지!"하고 아내는 웃는다.

　짐 쌀 때부터 알아봤다는 눈치다. 실제 제주에 와보니 집안에 앉아 쉬는 시간이 아까웠다. 제주 어디를 가도 숲이 좋고 바다가 좋아 걷고 또 걸었다. 물론 커피숍에도 자주 갔지만 걷다 쉬며 잠시 즐기는 정도였다. 한달살기를 계획하면서 생각했던 것이 있었다. 이번에 가면 매일 일과를 책 쓰듯 기록해 보자는 것이었다. 그러다 보니 저녁 시간도 부족했다. 덕분에 한달살기를 기록으로 남기게 되었다. 그동안 틈틈이 쓴 글과 메모를 모아 좀 늦었지만 이제야 한 권의 책으로 엮어 출간하게 되었다.

제주 전 지역을 세 부분으로 나누어 숙소를 정했던 것은 현명한 선택이었던 것 같다. 멀리 가지 않고도 한 지역을 중심으로 많은 것을 볼 수 있어서다. 처음 1주일은 동남쪽 성산일출봉 근처로, 2주는 볼 것이 많은 서남쪽 서귀포 지역을, 그리고 마지막 1주일은 북서쪽 애월읍을 중심으로 했다. 다만, 지역을 셋으로 나누어 한달살기를 했지만, 때에 따라 그 지역을 벗어나 다른 지역을 갔다 왔다 하는 것에 제한을 두지 않았다. 제주도 특성상 동쪽 끝 성산일출봉에서 서쪽 끝 차귀도까지의 거리가 승용차로 2시간이 채 걸리지도 않기 때문이다. 제주 동서 길이가 약 73㎞, 남북 길이가 41㎞이며, 면적이 1850.3㎢이다. 편의상 책의 구성도 묵었던 숙소를 중심으로 4부로 나누어 쓰게 되었다. 글 순서는 일정에 따르기로 했다. 읽으면서 제주를 한눈에 '한 달 살이' 하듯 여행하는 효과가 있을 것이다. 다만, 종이책 분량을 줄이고 확장판을 별도로 엮어 전자출판 하기로 했다. 전자책에서 종이책에 다 넣지 못한 풍부한 양의 한달 살이 모습을 볼 수 있을 것이다.

끝으로 여행 중 내가 원하는 어느 곳이든 마다하지 않고 함께하여 글 쓰는 데 도움을 준 사랑하는 아내에게 고마움을 전한다. 또한 바쁜 시간을 내어 찾아와준 사랑하는 아들딸과 처제, 그리고 먼저 제주 와서 6개월 살기를 하며 좋은 길 안내를 해준 신자 씨 부부에게도 감사의 인사를 전한다.

2024년 봄 박 종 섭

# CONTENTS

제 2 부.

너무도 사랑해서 아픈 서귀포(15일) 1

    - 이중섭이 사랑한 서귀포 앞바다 -

제 3 부.
너무도 사랑해서 아픈 서귀포(15일) 2
　　　　- 추사가 즐기던 안덕계곡 -

제 4 부.

돌아서면 또 가고 싶어지는 서북쪽 곽지·애월(7일)

제주 한달살기 도전기(D-1)
## 출발 하루 전의 준비와 설렘

# 출발 하루 전의 준비와 설렘

드디어 제주 한달살기를 실행에 옮기기로 했다. 외국이나 국내 어느 곳이든 한 달 살아보기는 은퇴자들의 로망이다. 직장인이 할 수 없는 일을 시간 부자인 은퇴자들은 할 수 있는 특권 같은 것이다. 시간과 어느 정도의 경제력도 필요하지만, 무엇보다 의지가 중요한 일이다. 강의 일정을 앞뒤로 조정하여 한 달을 비웠다. 아내와 함께 한달살기 위한 숙소 정하기, 차량 문제 등을 조율하고 검색했다. 한달살기를 하면서 사치스럽게 고급 숙소를 찾는 것도 격에 맞지 않는 일이고 여러 가지 경비도 고려해야 했다. 가급적 큰 비용이 들지 않는 곳을 찾아 검색했다. 여행은 준비하는 과정의 즐거움이 크다지만 선택을 위해서는 많은 고심이 필요하다.

숙소는 한 곳이 아니라 제주도를 세 곳으로 나누어 정하기로 했다. 처음 1주일은 제주 동남쪽 성산일출봉 일대 숙소를 정했다. 제주 동남쪽을 탐방하고 특별히 우도를 방문할 계획이다. 다음 17일은 제주 서남쪽 지역인 송악산 근처의 펜션을 이용하기로 했다. 제주에서 유명한 관광지가 몰려 있는 곳이라 기대가 컸다. 그 나머지 1주일은 돌아올 때 공항 가까운 북쪽 지역 숙소로 자리를 잡았다. 한 달 총 숙박비 120만 원으로 하루 평균 4만 원으로 해결했다. 제주에 있는 동안 아들딸이 며칠 동안 오기로 했고, 처제가 제주에 왔다 잠시 합류하기로 했다.

차량을 어떻게 할지 고민을 많이 했다. 필요할 경우 택시를 이용할까 아니면 아예 승용차를 렌탈할까 생각해봤다. 렌탈비를 확인해 보니 성수기 시작으로 하루 17만 원이라 한다. 아내와 상의 끝에 승용차를 가지고 가기로 했다. 요즘 차를 집에 와 가져가서 배에 실어 현장에서 인계해 주는 편리한 탁송시스템이 있다는 것을 알았다. 하루 전 자가용을 탁송으로 보내고 우리는 비행기를 타고 제주로 가면 된다. 비행시간이야 1시간 10분이고 미리 가서 대기하는 시간까지 합치면 왕복 3시간 남짓 걸리면 된다. 직접 배를 타고 가는 것보다 비용은 더 들지만, 편리한 장점이 있다. 차량을 전적으로 위탁하는 것으로 하고 62만 원에 계약 체결했다.

짐을 다 쌓아 놓으니 큰 트렁크가 두 개, 작은 배낭들이 여러 개, 음식 넣은 스티로폼 박스 등 거실 한편에 가득했다. 비행기 타기 하루 전, 차를 먼저 보내야 해서 차 트렁크와 뒷자리에 짐을 옮겨 싣고 기다렸다. 아침 8시 30분에 약속대로 탁송업체 직원이 차를 가지러 왔다.

짐을 다 실어 차를 보내는 데 묘한 생각이 스쳐 간다.

"자 다 되었습니다. 고객님의 차를 최대한 안전하게 모시겠습니다. 내일 제주도 도착시간에 제주 공항에 대기 시켜 놓겠습니다."

직원이 안심시켰을 때, 짐도 짐이려니와 분신 같은 차를 남의 손에 떠나보낸다는 것이 왠지 딸을 시집보내는 마음 같았다.

'잘 가라! 내일 아침 제주 공항에서 만나자!'

아내도 같은 생각이었나 보다. 멀리 떠나는 차를 팔짱을 끼고 지켜보고 있었다. 짐을 차에 실려 보내고 나니 한결 마음이 가벼워졌다. '그래! 이제 시작이다. 그동안 직장 다니며 다람쥐 쳇바퀴 돌듯 바쁘게 살았는데, 이제 숨 좀 쉬며 자유롭게 생활해 보는 거다.' 작은 설렘이 짜릿하게 전달되어 온다.

제 1 부.
그리운 성산포(7일)

제주 1일 차

# 드디어 제주도 도착,
# 어둠이 내리는 섭지코지

출발 첫날이다. 짐도 차로 다 보냈으니 가벼운 배낭만 하나 둘러 메고 공항으로 나가면 된다. 김포공항에서 12시 45분 비행기다. 아침을 먹고 10시 반쯤 공항으로 출발했다. 공항에 도착하니 여러 곳으로 떠나는 비행기가 사람들의 탑승을 기다리고 있었다. 손님을 태운 비행기는 5분, 10분 간격으로 하늘을 향해 솟아오른다. 우리 비행기도 활주로를 따라 굉음을 내며 솟아오른다. 출발한 지 얼마 되지도 않은 것 같은데 안내 방송이 나온다.

"승객 여러분! 잠시 후 우리 비행기는 제주 국제공항에 착륙하겠습니다. 안전벨트를 매 주시고 비행기가 완전히 착륙하기 전까지 이동을 자제해 주십시오."

　해외여행을 하며, 졸린 눈으로 일어나 비몽사몽간에 기내식을 먹던 고생스러운 즐거움도 없이 심심하게 제주 공항에 도착했다. 여행이란 그런 고생도 재미가 되고 추억이 되는가 보다. 숙소가 바닷가 근처라 창문 너머로 바다가 보인다. 오후 늦은 시간이라 짐만 풀어 놓고 해안으로 향했다. 바닷가 산책로를 따라 걸으면 왕복 두 시간이면 섭지코지에 갈 수 있다고 한다. 바다로 나오니 왼쪽으로 성산일출봉이 눈앞에 우뚝 서 있다. 제주 하면 뭐니 해도 성산일출봉이다. 처음 제주도에 왔을 때 성산일출봉을 오르며 너무도 다른 세계에 놀랐던 추억이 새롭다.

　끝없이 펼쳐진 푸른 바다가 출렁인다. 온통 고층 아파트와 빌딩 숲속에 살던 시야가 막히지 않고 탁 트인 바다에 단숨에 압도된다. 바다는 형태, 지위, 신분이나 부의 높낮이도 없는 모두가 평등함을 보여준다. 시원한 바닷바람이 온몸을 휘감는다. 사리라 물이 2킬로미터나 빠져나가 바닥이 드러난 바닷가를 탐색한다. 1년 중 가장 깊이까지 물이 빠지는 날이란다. 평소 같으면 바닷물이 차서 볼 수 없는 바닷속에 들어와 있는 것이다. 바위에 붙어있는 미역 줄기, 조그만 소라, 화산폭발로 이루어진 구멍이 숭숭 뚫린 바위 모습이 신비롭다. 이 넓은 제주도가 화산폭발로 이루어졌다는 게 믿어지지 않는다. 그러나 바닷가에 시커멓게 탄 바위와 구멍 뚫린 바위는 화산폭발의 실상 그 자체를 여실히 증명한다. 솟아 나온 마그마가 용암이 되어 흐르고 바닷물에 식어 바위가 되어 수많은 세월을 지켜왔다.

물이 빠져나간 바다는 미처 나가지 못한 작은 생물들로 가득하다. 아예 다시 물이 들어올 때까지 바위에 붙어있거나 돌 틈에 숨어 산다는 표현이 맞을 듯싶다. 바위에 고인 물을 손에 찍어 먹어본다. 바다의 맛! 입에 들어갈 새 없이 외마디가 튀어나온다.

"아 짜! 퉤 퉤!" 금방 뱉어 버리지만 짠맛은 가시지 않는다.

"짠맛 제대로 보셨네요"

바위틈에서 새끼 게들이 깔깔대며 웃는 듯하다.

섭지코지를 향해 해안 길을 따라 걸음을 옮긴다. 바닷바람에 누운 꽃과 나무가 벼랑에 납작 엎드려 꽃을 피우고 있다. 세찬 바람에도 견뎌내는 그들만의 생존 비법이다. 군데군데 해녀들이 사용했던 불턱(불피우는 곳)이 돌탑처럼 쌓여 있다. 해녀들이 바람을 피하고 옷을 갈아입던 장소다. 섭지코지란 '바다로 뻗어 나온 곳'이란 제주도의 지명이다. 섭지코지 앞쪽으로 우뚝 선 선돌이 외롭게 서 있다. 선녀와 용왕 아들의 전설이 깃들어 있는 곳이다. 선녀와

용왕 아들이 서로 사랑을 했는데 하늘의 허락을 얻지 못해 둘의 사랑이 이루어지지 않았다. 이에 용왕 아들은 선 채로 돌이 되어 굳어 버렸다는 슬픈 이야기다. 왠지 홀로 서 있는 선돌이 쓸쓸해 보인다. 섭지코지 가장 높은 곳에 하얀 방두포 등대가 서 있다. 밤에는 멀리까지 등댓불이 보여 어두운 바다를 항해하는 배들의 이정표 역할을 하고 있다.

섭지코지는 신혼여행을 온 사람들이 찾아오는 단골 코스이기도 하다. 그리 높지도 않고 험하지도 않아 걷기도 좋고 경치도 좋기 때문이다. 저녁노을이 지는 해안의 야자수 나무가 이국적인 경치를 선사한다. 제주도에서 즐길 수 있는 멋진 모습이다. 돌하르방도 온종일 서 계셨으니 이제 쉴 시간이 되지 않았나 싶다. 섭지코지에 어둠이 내리기 시작한다. 섭지코지에서 보는 저녁노을과 일몰이 환상적이다. 때로 일몰도 일출의 그 모습과 다르지 않다. 시원한 바닷바람이 저녁이 되니 점점 강해진다. 바닷가에서 바람에 날아오는 조금은 비릿한 바다 냄새가 싫지 않다. 제주 한달살기 첫날이 이렇게 시작되었다. 바쁘게 서둘러 집에 돌아갈 일도 없다. 늦으면 늦은 대로 들어가면 된다. 그저 바람과 바다의 아름다운 경관을 즐기면 된다. 그리고 잠을 청하면 내일의 해가 뜰 것이다.

제주 2일 차

우도로 가자!

첫눈에 반한 우도

①우도로 가자!

우도는 일 년 내내 쪽빛 바다 빛깔을 자랑하는 곳으로 매년 200만 명의 관광객이 찾는 관광명소다. 우도를 가려면 제주도 성산항이나 종달항 두 곳에서 출발한다. 어느 곳이든 약 15분 정도면 우도에 도착한다. 우리는 성산항에서 출발하기로 했다. 맑은 날씨 탓에 바다가 마치 푸른 물감을 풀어 놓은 듯하다. 잠시 후 물살을 가르며 긴 물길을 만들던 배는 선착장에 차와 사람들을 풀어 놓는다. 처음 발을 내딛는 우도의 풍경이 매우 이색적이다. 도로에 삼발이 전기 자동차가 한쪽으로 줄을 이어 달린다. 1인용부터 탑승객 수만큼 크고 작은 전기 자동차가 해안 도로를 따라 달린다. 주로 교통수단이 일반자전거, 전기자전거 그리고 전기 자동차다.

무엇을 타고 돌까하다 기왕이면 우도 올레길을 걸으며 발로 체험하기로 했다. 관광객들은 대부분 탈 것들을 타고, 걷는 사람들은 많지 않아 보인다. 최소한 4시간을 걸어야 하기 때문이다. 우도는 짝수 홀숫날에 따라 도는 방향이 다르다. 항구를 떠나 걷기 시작한 지 얼마 안 되어 우도의 8경 중 하나라는 서빈백사장을 만났다. 천연기념물 제438호로 지정된 홍조단괴해변으로 구성된 백사장이다. 해양 조류 중 하나인 홍조가 해안으로 쓸려와 퇴적한 것으로 홍조단괴 산호 해변으로 불리는 곳이다. 마치 팝콘을 튀겨 놓은 것 같은 홍조 단괴의 모습을 손으로 담아 보았다.

흰 백사장에 에메랄드빛 바다가 너무 아름다워 발걸음이 떼어지지 않는다. 춥지만 않다면 금방이라도 바닷물에 뛰어들고 싶은 곳이다. 조금 지나 날씨가 따뜻해지면 아마 이 해수욕장은 발 디딜 틈도 없이 해수욕을 즐기는 사람들로 붐빌 것이다.

아침 먹고 일찌감치 커피 한 잔을 사서 바다를 바라보며 여유를 즐긴다. 서빈백사장을 지나 계속 걷다 보니 멀리 성산일출봉을 배경으로 사진을 찍을 수 있는 포토존이 있다. 성산일출봉을 사진틀에 넣고 '찰칵' 기념사진 한 컷을 찍는다. 천진항을 향하는 길목에 드렁코지가 있다. 예전 사람들이 처음 우도에 들어왔던 곳이란다. 천진항에는 우도에 도착하는 사람과 떠나는 사람들로 분주하다. 천진항을 지나 돌칸이에 가는 길가로 돌담과 돌탑이 길게 이어져 있었다. 누군가 한층 한층 정성스럽게 쌓아 올렸을 기원돌탑들이다.

돌탑을 지나 조금 더 걸음을 재촉하니 지석묘 하나가 길 한중간에 버티고 있었다. 지석묘에서 멀지 않은 바다에 한반도 지도 모양의 현무암 바위 '여'가 있다. 마침 10시부터 14시 사이에 썰물로 물이 빠져 '여'를 볼 수 있었다. 신생대 제4기 홍적세(200만 년 전) 동안 화산분출 시 바닷속에 형성된 현무암질로 흡사 한반도 지도처럼 생겼다. 어찌 되었든 한반도 모양의 형상을 보면 우리나라가 잘 되게 해달라고 기도가 절로 나온다. '무궁화 삼천리 화려강산, 하느님이 보우하사 우리나라 만세!'다 잠시 걷다 보면, 저 앞 절벽 위로 오름이 보이는데 그것이 소의 머리처럼 생긴 우도봉이다. 툭 튀어나온 기암절벽은 소 얼굴의 광대뼈와 흡사한 모습이다. 바로 이 기암절벽과 해안이 소의 여물통에 해당하는 것으로 비경을 이룬다. '돌칸이'란 소의 여물통이라는 뜻으로 '촐까니'라고 불렀고 '촐'은 '꼴' 또는 '건초'로 말이나 소에게 먹이는 먹이며 '까니'란 큰 그릇을 의미한다. '돌카니'는 '촐까니'가 와전된 말로서 즉, 소의 '여물통'을 뜻한다고 한다. 돌카니의 절벽과 파란 바닷물이 어우러져 천연의 아름다움을 한껏 뽐내고 있다.

경치에 취해 있는데 자전거 여행하는 노신사 한 분이 우리에게 말을 걸어온다.

"저 위에, 카페에 올라가 보세요. 아주 뷰(view)가 죽입니다. 제가 세 번째 여길 왔는데 그전에는 이 카페가 없었거든요. 오늘 와 보니 외국이 따로 없습니다."

그 말을 듣고 안 가보면 후회될 것 같아 인사를 나누고 카페로 올라갔다. 올라가 보니 과연 '돌카니' 절경이 한눈에 내려다보인다. 그냥 갈 수 없어 카운터에 가서 부탁한다.

"우리가 커피를 방금 한잔했는데 한 잔만 시키면 안 될까요? 여기 다녀가시는 손님이 하도 경치가 좋다고 해서요."

일부러 찾아왔다는 말에 주인이 연신 "감사합니다."를 연발한다. 값은 조금 비싼 7,500원을 지불했다. 조금 전 마신 커피를 또 마셨다. 장소는 돈이 아깝지 않을 정도로 만족했다. 햇볕은 있었지만, 야외 의자에 앉아 저 멋진 절경을 보니 세상 부러운 것이 없다. 유럽의 어느 나라 관광지 못지않은 분위기였다. 얼마나 앉아 쉬었을까? 우린 우도봉을 향해 걸음을 옮겼다.

②우도로 가자! 우도와 사랑에 빠지다

우도봉이 있고 등대가 있는 쇠머리 오름은 높이가 132.5m이다. 우도에서는 제법 고봉에 속하는 오름이다. 우도봉 이쪽은 항이 있는 뒤쪽이어서 농가가 많은 농촌지역이라 할 수 있다. 우도봉을 돌아가는 길가마다 돌담으로 둘러싸인 밀밭들이 있어 시골 정취를 듬뿍 풍긴다.

돌담은 바람도 드나들고 다람쥐도 드나들고 밖에서 안이 훤히 들여다보여 더욱 정이 간다. 사람과 사람 사이에 벽이 있다는 것은 얼마나 삭막한 일인가? 돌담을 보기만 해도 속이 시원히 뻥 뚫리는 느낌이다. 우도봉에 올라서니 사방이 한눈에 내려다보인다. 비록 높지 않은 오름이지만 우도봉에 오르니 바다에 떠 있는 뗏목 위에 타고 있는 기분이다.

잘 걷던 아내가 다리가 아픈지 전기자전거나 전기차가 지나가는 것을 보면 부러운 듯 눈길이 오래 머문다. 평소 오래 걸으면 발바닥이 좀 아프다 하여 무리하지 않기로 했다. 늦은 점심을 우도 땅콩 마을에서 먹기로 했다. 땅콩 마을 언저리에 경치가 멋진 식당을 발견하고 자리를 잡았다. 식당 이름이 '띠띠빵빵'이다. 식당 앞 파라솔에 앉아 바다 전망을 감상하기에 이보다 좋은 곳이 없었다.

"어머, 여기 정말 뷰가 장난이 아니에요!"

아내가 연신 감탄사를 쏟아낸다.

"정말 최고의 경관이네!" 나도 감탄사가 절로 나온다. 내가 보아도 이런 곳에서 식사할 수 있다는 것은 수십만 원의 가치가 있어 보인다. 어찌 되었든 좋은 분위기에서 최고의 경치를 감상하며, 우도에서 유명한 해물짬뽕과 수제 돈가스를 시켜 맛있게 먹었다. 바다를 배경으로 의자에 앉아 멋지게 폼을 잡고 사진도 한 컷 찍었다.

오후 5시 배를 타기 위해 좀 더 서둘러야 했다. 돌아오는 길은 해안가에서 벗어나 육로를 택했다. 시골 동네 구석구석을 살펴볼 좋은 기회였다. 역시 밀밭 가운데 돌담과 낮은 지붕의 전형적인 해안가 집들이 보였다. 돌담으로 둘러쳐진 집에서 아낙네가 지나가는 관광객을 넘겨다본다. 이 집은 특별히 대문도 없다. 너른 공터에는 바다에서 따온 다시마 같은 것을 널어놨다. 화장품 재료로 쓰인다고 한다.

우도에서 내려 커피 한잔할 때 카페 주인장이 말해줬다.

"이곳은 집집이 해녀들이 살고 있어요, 정년이란 게 특별히 없으니 80살 먹은 할머니도 물길을 하죠"

"80대 해녀? 정년 없는 직업이라. 그거 그럴듯한데요."

정년이 없다는 말이 확 꽂힌다. 많은 직장인이 한창 일할 나이에 회사를 떠나지 않았던가.

100세 시대를 이야기하고 있는 요즘이다. 나름 힘도 들고 어려움도 있겠지만 바다에만 들어갔다 나오면 소득이 생기니 이만한 직장도 없을 것 같다.

이런 생각을 하며 길을 걷는데 우도의 특산물인 땅콩 아이스크림집이 보인다. 그냥 놓치고 갈 수 없어 떠나는 배 시간을 챙겨가며 아이스크림을 시켜 맛을 본다. 고소하게 입안으로 녹아드는 맛이 피로를 풀어준다. 언제 또 오게 될지 몰라도 뚜벅이 걸음으로 우도를 한 바퀴 돌았다는 것은 추억이 될 것 같다. 대부분 오면 쉽게 전기차 빌려 타고 한 바퀴 돌고 휙 떠나는 게 보통인데 우린 구석구석 발자취를 남기고 간다. 놀멍쉬멍 아침 8시 반에 우도로 들어와 저녁 4시 45분 여객선을 타고 우도를 떠난다. 이제 가면 언제 또 오게 될지 모른다. 기약 없는 이별을 앞두고 동화 같은 우도를 떠난다. 한 층 사랑에 빠져서~

"우도야 잘 있거라. 안녕!"

제주 3일 차

가장 제주다운

광치기해변과 성산일출봉

　제주 한달살기 3일 차 되는 날이다. 오늘은 숙소에서 가까운 제주 올레길 1코스를 걷기로 했다. 조그만 숲길을 따라 나오니 곧바로 바다가 나온다. 그 유명한 광치기 해변이다. 성산일출봉까지 오르지 못하는 사람들에게는 광치기 해변이 일출 명소다. 해변의 카페 앞 모래언덕에는 돛단배 하나가 놓여있다. 흰 돛단배가 푸른 바다와 어울려 그림처럼 보인다. 광치기 해변은 성산일출봉으로 이어지는 긴 해변이다. 유난히 물이 맑아 물감을 풀어 놓은 듯하다.

　썰물 때문인지 얕은 해안은 바닥이 드러나 있다. 바위에 붙은 해조류가 물에 젖은 채 물때를 기다리고 있다. 여기저기 물웅덩이에는 달팽이게들이 인기척에 놀라 재빨리 몸을 감춘다. 달팽이게는 자기 몸을 보호하기 위해 빈 달팽이 껍데기를 쓰고 다닌다.

　참 영리하다. 누가 가르쳐준 것도 아니고 배운 것도 아닌데 살아가는 생물들의 지혜가 놀랍다. 바닥에 우뚝 선 바위 하나가 마치 작은 성산일출봉 모형처럼 보인다. 바닷물에 잠겨 보이지 않다가 물이 빠져야 드러나는 장면이다.

　광치기 해안을 끼고 성산일출봉에 다다르니 많은 사람이 일출봉 정상으로 오르내린다. 기왕에 온 것 일출봉을 오르기로 하고 입장표를 끊는다. 해는 서산에 걸려 있지만 왕복 한 시간이면 충분한 시간이었다. 입구로 들어서니 세계문화유산이라는 글씨가 눈에 확 들어온다. 그래서 그런지 올라가는 길이 단정하게 정리가 되어있다. 성산일출봉은 약 5천 년 전에 지하에 있는 마그마가 물을 뚫고 분출하여 물에 식으며 만들어졌다고 한다.

분화구에는 여러 가지 식물들이 군락을 이루고 있어 생태계 연구에도 많은 도움이 된다고 한다. 언제 날아와 둥지를 틀고 사는지 꿩이 "꿩꿩" 큰 소리로 운다. 칼등처럼 이어진 분화구 너머는 낭떠러지기다. 성산일출봉에서 일몰을 감상하고 싶었는데 저 멀리 서쪽 능선 위에 해가 넘어가기에는 꽤 시간이 걸릴 것 같았다. 육지에 높은 산자락에 걸린 해는 산속으로 빨려가듯 했는데 멀리 보이는 제주는 지대가 낮아서인지 좀처럼 해가 지지 않았다. 일출봉에서 내려온 지 1시간쯤 지나 올레길 1코스 중간쯤 돌아와서야 제대로 일몰을 감상할 수가 있었다. 일출도 장관이지만 일몰도 그에 못지 않다. 밤새 잘 자고 내일 또 일출봉 아래 저 수평선으로 떠오르라고 기원을 하며 안녕을 한다.

# 제주의 깊은 속살,
# 제주 올레 15-A 코스

오늘은 15코스를 걷기로 했다. 15코스는 애월읍 중산간 풍경을 위주로 한림과 고내 올레길로 다듬어진 A 코스이다. B 코스가 해안선을 따라 이루어졌지만 먼저 개발된 A 코스는 내륙을 걷는 코스다. 이번 동행은 특별히 이미 몇 달 전에 제주도 6개월 살기를 하는 아내의 여고 동창 신자 씨 부부와 함께하기로 했다. 이 부부는 캠핑카를 사서 제주 살기를 하는 중이다. 또 하나의 가족이 합세했는데 그들 부부는 1년 살기를 하는 부부였다. 올레길을 그동안 세 번째 도는 중이라고 했다. 두 부부는 남편끼리 고등학교 동창이라 했다. 자녀들 다 출가시키고 부부가 여유롭게 즐기는 중이다. 제주를 오면 주로 해안을 잠깐씩 돌아봤을 뿐인데 내륙의 참모습을 볼 수 있다니 훨씬 의미가 크다. 그들 부부가 간다는 소식을 듣고 합세하기로 했다. 우리의 숙소인 성산읍에서 제주 올레길 15코스는 반대편에 있는 애월읍과 한림읍에 위치한다.

간단히 아침을 먹고 차를 몰아 출발하니 1시간 30분이나 걸렸다. 고내포구에 무료 주차할 수 있는 공간이 있어 공터에 주차했다. 세 가족이 비슷한 시간에 포구에 도착하여 반갑게 인사를 나누고 출발을 시작했다. 먼저 1년 살기를 하는 광림 씨 부부가 우리 초보 부부를 위해 여행자센터에서 올레길 패스포트를 하나 사서 선물로 준다.

"제주 올레길 걷기 선물입니다."

6개월 살기를 하는 신자 씨가 말을 더한다.

"이제 족쇄가 채워지는 겁니다." 순간 웃음이 터져 나온다.

"목표가 생기고 찍는 재미가 있을 겁니다. 점점 빠져들게 될걸요?"

광림 씨는 패스포트에 친절하게 15코스 시작 스탬프를 찍어 준다. 해안을 뒤로 하고 내륙을 향하여 출발한다. 관광지가 아니라 제주도 내륙의 실제 사는 모습을 보고 싶었는데 드디어 보게 되어 속으로 쾌재를 불렀다.


15-A 코스는 기본 16.5㎞로 도보 시간 5~6시간이 소요된다고 한다. 비교적 장거리인 셈이다. 봄이 지나 여름에는 더워 걷기가 쉽지 않은 길이다. 계절적으로 참 좋은 계절에 왔다. 오름을 내려와 본격적으로 농가로 이어지는 올레길을 걷는다. 밭과 길의 경계는 대부분이 다 돌담이다. 집과 집 사이 경계도 물론 돌담이 대부분이다. 바람이 술술 통과하는 돌담이 볼수록 정겹다. 담을 쌓아 막는 것이 아니라 많은 돌을 쌓아 놓았을 뿐이라 해야 맞을 것 같다. 길고 짧은 돌담을 돌고 돌며 제주 내륙 깊은 속살까지 눈으로

발로 몸으로 체험을 즐기고 있다. 서두르지 않고 급한 것도 없이 '놀멍쉬멍' 걷노라니 평화로운 시골 정취에 푹 빠져든다. 길고 짧게 늘어선 돌담을 끼고 거의 지붕만 보이는 시골집들이 육지의 집들과 다르다. 돌담 곁에 줄지어 핀 꽃들이 길을 걷는 이방인들을 반갑게 맞이한다. 돌담을 뒤덮은 저 앙상한 줄기들도 머지않아 잠에서 깨어 잎을 피우고 푸른 희망으로 돌담을 덮으리라.

몇 시간을 걸어왔으니, 시장기가 느껴진다. 일찍 제주 살기를 하고 있는 광림 씨 말에 의하면 이곳을 지나면 마땅히 먹을 곳이 없다고 한다. 마침 점심시간도 되니 식당 안으로 들어갔다. 첫날 공항을 나와 성산포에서 식당을 들어가니 최하 가격이 15,000원짜리밖에 없어 놀랐었다. 여기에 오니 8,000원에서 15,000원으로 비교적 착한 가격이다. 돼지고기 두루치기로 인원수만큼 시키고 제주 막걸리 한 잔 시켜 '짠!'하고 들이키니 꿀맛 같다.

"제주 올레길 건배!"

생각나는 대로 건배를 하고 한잔하니 술술 넘어간다.

"우리가 어떻게 이렇게 올레길을 걸으며 한잔하는지 신기하네!"

"맞아! 제주도 이 먼 길에 와서 함께 걷고 이 시간을 갖다니 꿈 같은 일이네!" 맞장구를 친다. 사실 맞는 말이다. 이럴 수 있으리라고는 생각도 못 한 일이다. 그러나 사람 일이란 게 마음먹기인 것 같다. 그게 현실로 이루어졌으니까. 식당은 인심이 좋아 야채도 무한 리필이다. 든든하게 식사하고 한국인이 사랑하는 커피믹스(일명 다방 커피) 한잔하니 다시 걷기 위한 새로운 힘이 솟아난다.

금산공원을 내려와 다시 돌길을 걸으며 민가 길로 내려온다. 토종 선인장 백년초 열매 울타리 너머로 노랗게 익은 감귤나무가 발길을 멈추게 한다. 정원에 잔디를 깔고 감귤이 주렁주렁 달린 집을 보니 부러운 마음도 든다. 한참을 들여다보다 좁은 산길을 따라 올레길 걷기를 계속한다. 숲속에 막 피어나는 새잎들이 마치 피어난 꽃처럼 아름답다. 꽃인가 싶어 들여다보니 봄에 피어난 새순 잎이다. 사람도 꽃이 될 수 있듯 잎도 꽃처럼 예쁘다. 숲을 벗어나니 밀밭이 바람에 일렁인다. 열매가 누렇게 익을 때는 황금물결이지만 청보리밭이나 청밀 밭은 푸른 물결 그 자체로 또 다른 맛이 있다. 그냥 지나치기 아쉬워 한 컷 셔터를 누른다. 길가에 여기저기 심어 놓은 야자수 나무가 있어 더욱 남쪽의 정취를 느낄 수 있다. 지나는 마을 벽에는 사진을 찍을 수 있는 천사의 날개도 그려져 있어 멋지게 포즈를 취하며 피로를 푼다.

한참을 걷고 걸으니, 한림항이 가까워져 왔다. 패스포트에 올레길 15코스를 다 돌았다는 인증 도장을 받아야 한다고 해 지친 다리를 끌고 마지막 지점까지 남은 힘을 끌어 올렸다. 총길이 19.45㎞에 3만 400보를 걸었다. 제주를 삼다도라 부르는 이유를 오늘 걷고서야 실감했다. 온통 돌담이요 곡식이 자라는 땅마저도 자갈밭이었다. 이렇게 돌이 많은 곳은 일찌감치 본 적이 없었다. 게다가 오늘 온종일 바람이 그치질 않았다. 다행히 4월이라 날씨가 좋아 바람이 시원하게 더위를 식혀주니 여간 고맙지 않다. 그러나 한 겨울에는 이 바람을 어찌할까 걱정이 된다. 매서운 칼바람이 아닐까 싶다. 제주 올레길 15코스를 걸으며 제주의 내면 깊은 곳을 보고 느끼고 체험할 수 있는 좋은 계기가 되었다. 그래도 3만 보를 걷는 일은 쉽지 않았다.

제주 5일 차

# 하루쯤 쉬며 둘러 본
# 하도리 세화 해변

'과유불급(過猶不及)'이란 논어의 선진 편에 나오는 말로 '모든 사물이 정도를 지나치면 미치지 못한 것과 같다'는 뜻으로, 중용(中庸)이 중요함을 가리키는 말이다. 운동도 지나치면 하지 않은 것보다 나을 수 없다는 말일 것이다. 어제 걸었던 15-A 코스는 최근 걸어본 적 없는 과도한 길이었다. 하루 20㎞는 근래 걸어본 적 없었다. 아무래도 전에 다쳤던 오른쪽 발목이 무리했는지 약간은 부은 듯 자연스럽지 못했다. 핑켓김에 오전은 푹 쉬면서 책도 읽고 사진 정리도 하면서 시간을 보냈다.

"오늘은 쉬고, 점심 먹고 산책 삼아 해안 길이나 걸을까?"

"그래요, 나도 발가락에 물집이 조금 생긴 것 같아. 잘 생각했네요"

즉각 반응이 온다. 역시 힘들었던 것 같다. 가끔 다른 사람들과 동행한다는 것은 내 의지대로 하지 못할 때가 있다. 함께 목적지에 도달해야 하기 때문이다. 목적지를 눈앞에 두고 멈추는 것은 자존심이 허락하지 않는다. 마지막에는 젖 먹던 힘까지도 끌어모아야 한다. 어려움을 이겨내고 끝까지 해내고야 말았을 때 그 뿌듯함에 힘들어도 참는다. 하루 3만 보 걸음은 그렇게 달성했다. 그러나 그건 무리다. 쉼이 필요하다. 몸이 회복할 시간을 주어야 한다. 오늘의 휴식은 어제 수고에 대한 보답이다.

오전 휴식을 취하고 나니 몸이 한결 가벼워진다. 에너지도 보충할 겸 집 근처에 있는 제주 명물 흑돼지 전문점에서 양념갈비를 먹었다. 점심 특선 메뉴라서 그런지 고기양도 많고 냉면도 한 그릇 준다. 어제 20㎞를 걸어 물집도 생기고 발바닥도 아파서 고생한 보답이다. 점심을 잘 먹고 여유롭게 커피 한잔하니 세상 부러울 게 없다. 구좌읍 하도리 올레길 20코스 방파제에 낚시하는 곳이 있다기에 차를 몰았다. 길게 바다 쪽으로 뻗은 방파제에 낚시를 던지는 몇 명의 낚시꾼들이 있었다. 방파제 돌 틈으로 낚시를 넣는 낚시로 소위 '구멍치기'라고 한다. 낚시꾼들이 간격을 두고 흩어져 열중하고 있다.

"많이 잡으셨습니까?" 하고 물으니,

"아니요 아직 못 잡았습니다. 저 코너에 있는 사람은 잘 잡으니, 그쪽으로 가 보슈."한다.

코너로 옮겨 잠시 지켜보고 있는 사이 서너 마리의 우럭이 끌려 나왔다. 씨알이 제법 굵다. 역시 잘 잡는 사람은 따로 있나 보다. 이렇게 한두 마리 더 잡게 되면 저녁 횟감이나 매운탕거리가 충분할 듯싶다. 잠시 후, 아까 그 낚시꾼이 낚시를 번쩍 들며 소리 친다.

"나도 한 마리 잡았수다."

"아 잘하셨네요."

화답을 해주니 기분이 좋은 모양이다. 잡는 위치를 알았으니, 다음에는 나도 낚시를 해볼까 하는 생각이 든다. 낚시의 묘미는 고기가 미끼 물때의 손맛에 있다고 한다. 고기가 미끼를 물었을 때 놓치지 말고 잡아채는 것이 중요하다. 세상의 이치도 이와 마찬가지다. 세상사가 다 때가 있고 때를 놓쳐서는 안 된다는 교훈이다. 낚시하는 사람들을 보며 이런저런 생각을 해보면서 가벼운 산책을 위해 해안 도로를 향해 발길을 돌렸다.

해안도로는 대부분 산책로로 가꾸어져 있다. 도로를 낀 주택가는 빨강, 파랑. 연두색 등 다양한 지붕을 한 모습으로 예쁘게 단장 되어있다. 숨비소리 길로 이어지는 하도 해변은 돌담의 자연과 과거 그리고 다양한 원색의 현대적 함석지붕이 조화를 이룬다. 돌담에 묻힐 것 같은 낮은 지붕과 돌담으로 연결된 골목길이 왠지 정겹다. 자연돌로 쌓아 올려 집 담을 만들었기에 거부감이 없어서 그런 것 같다. 길게 이어진 해변으로 카페촌이 발달하여 어디서나 커피 한 잔하기에 좋은 조건이다. 잘 가꾸어진 찻집은 안락의자를 놓아 마음껏 바다를 즐기면서 커피를 마시는 환경을 갖추었다. 연인들이 안락의자에 누워 바다를 보는 모습이 여유로워 보인다. 삶에 지쳐 머리가 무거운 사람들은 이런 곳에 누워 잠시라도 쉴 수 있으면 좋겠다. 무거운 일상을 내려놓고 잠시라도 편안한 마음을 가질 수 있다면 그게 행복이 아닐까.

하도 해변을 지나 세화 해변으로 이어지는 길에 보라색 무꽃이 활짝 피어 있다. 푸른 바다와 검은 암석 그리고 보라색 무꽃이 멋진 조화를 이루어 한 폭의 그림을 연상케 한다. 이런 경치를 어디서 볼 수 있을까? 세화항 쪽으로 오니 멀리 바다로 길게 뻗은 방파제 위 하얀 등대를 배경으로 사진을 찍을 수 있는 포토존이 설치되어 있다. 어느 곳에 카메라를 들이대도 달력에 들어갈 사진으로 훌륭하지만, 등대가 있어 더 좋은 운치를 선사해 준다.

키 큰 야자수 나무가 늘어선 이 길은 가볍게 산책해도 좋은 길이다. 누구든 제주에 오면 이곳 하도 해변을 한 번 가보기를 강력히 추천한다. 하도 해변은 오래된 제주의 모습을 볼 수 있다. 낚시는 덤이다.

제주 6일 차

# 이호테우 해변의
# 조랑말등대와 백약이오름

가슴 떨릴 때 GO! 제주 한달살기

오늘은 특별히 서울에서 직장을 다니고 있는 큰 딸아이가 휴가를 내고 내려온다. 3시 반쯤 제주공항에 도착할 예정이다. 공항으로 데리러 갈 겸 가는 길에 사려니 숲을 찾았다. 사려니 숲에서 걷거나 쉬기를 반복하면서 많은 시간을 보내고 나니 제주공항에 도착하는 딸아이 마중 나갈 시간이 되었다. 가족 상봉이 제주 공항에서 이루어졌다. 내일은 아들이 도착하기로 되어있어 다시 나와야 할 것 같다.

딸을 만나 공항에서 가까운 이호테우 해변으로 차를 몰았다. 이호는 이 지역 이호동의 이름이고, 테우는 제주도 전통 뗏목을 뜻하는 말이라 한다. 해변에 도착하니 바닷물이 찰랑대는 모래 백사장이 펼쳐져 있다. 확 트인 바다 해변 한쪽에서는 보트 스키와 카약을 즐기려는 사람들이 꽤 많았다. 초보자에게 카약 타는 법을 가르치는지 한 사람씩 올라 균형을 잡다가 기우뚱하고 물속에 풍덩 빠지는 모습이 웃음을 짓게 한다.

이호테우 해변이 유명한 것은 멋진 백사장도 있지만 특별한 조랑말 등대가 있어서다. 이곳에는 흰 등대와 붉은 등대가 있는데 관광객들의 명소로 사랑받고 있다. 등대는 흰색이라는 통념을 깨고 붉은색 등대. 그것도 말 모양의 등대이니 너도나도 인증사진 찍기 위해 이 해변을 찾는다. 뭐든지 일반적인 고정관념이나 통념을 깬다는 것은 새로운 발상을 하는 전환점이 되기 마련이다.

숙소로 가는 길에 백약이 오름을 들르게 되었다. 굼부리 아래 분화구 바닥엔 갈대숲이 보이고 굼부리는 꽤 깊어 보였다. 백약이 오름을 내려와 숙소로 가는 길목에 샛노랗게 익은 제주 한라봉과 천혜향 등을 파는 가게가 늘어서 있다. 수확 철이 아니어서 나무에 달린 것은 없다. 대신 7월에나 수확한다는 다른 품종의 자몽처럼 큰 열매가 나무에 달려 있다. 보기에는 먹음직스러우나 맛이 없고 시다 한다. 주로 화장품 원료로 쓰인다고 한다. 한라봉이나 감귤나무는 4~5월에 꽃이 피기 시작하니 지금은 한창 감귤꽃이 필 때이다. 주렁주렁 달린 샛노란 열매가 탐스러워 기념사진을 찍고 숙소로 향했다.

제주특별자치도고시 제2020-129호

# 백약이오름 정상부 일부지역 출입제한 고시

「자연환경보전법」 제40조, 「제주특별자치도자연환경관리조례」 제9조의4에
의하여 백약이오름 정상부 일부 지역에 대하여 출입제한을 다음과 같이 고시합니다.

## 다 음

○ 출입 등 제한지역 및 기간

| 오름명 | 소재지 | 출입제한지역 | 출입제한기간 | 비 고 |
|---|---|---|---|---|
| 백약이
오름 | 서귀포시 표선면
성읍리 산1번지 일원 | 정상부 봉우리
(140㎡) | '20. 8. 1
~ '22. 7. 31 | 2년 |

# 아름다운 바다 올레,
# 곽지·애월 해안 절경

제주 살기를 하면서 또 다른 즐거움은 덤이다. 비록 며칠이지만 가족들이 시간 내어 제주 여행을 함께 할 수 있어서다. 오늘은 아들이 2박 3일을 하기 위해 제주로 온다. 아침 8시 45분에 도착하기로 되어있다. 공항 가는 길에 제주 민속 마을 체험 코스가 있어 잠시 차를 세운다. 큰 돌을 쌓아 만든 돼지우리에는 제주 명물 흑돼지 두 마리가 서로 몸을 기대고 누워있다. 새끼 돼지 두 마리는 마치 흑돼지 홍보요원처럼 우리 안에서 낯선 관광객을 맞는다.

시간에 맞추어 공항에 도착하니 아들이 막 공항을 빠져나오고 있었다. 아들과 상봉으로 가족 네 명의 퍼즐이 완성되었다. 점심을 먹기는 조금 이른 시간이어서 올레길 15-B 코스를 걷기로 했다. 올레 15-B 길은 곽지·애월 해안으로 바다를 끼고 걷는 길로 빼어난 절경을 자랑한다. 끝없이 펼쳐진 바다가 물감을 풀어 놓은 듯 푸른빛으로 출렁인다. 가까운 해변만 그 출렁임을 느낄 뿐 저 큰 바다는 오히려 평화로운 잔잔함으로 마치 호수와 같았다. 제주를 처음 와 본다는 아들은 제주가 주는 아름다움에 입을 다물 줄 모른다.

"최고예요. 마치 외국에 온 것 같아요." 감탄을 연발한다.

오늘은 고내포구를 출발하여 곽지해수욕장까지 왕복하기로 했다. 해안을 따라 돌담으로 둘러싸여 있는 낮은 지붕의 예쁜 어촌들이 보인다. 해안 길은 당연히 화산폭발로 인한 현무암 돌길이다. 동네 골목길이나 들판에도 온통 화산석인 돌담으로 되어있는 것이 아들은 신기한 모양이다. 하기야 이런 광경은 제주도가 아니면 보기 쉬운 모습이 아니다. 드디어 해안 길을 걸어 곽지해수욕장에 다다른다. 아이들이 먼저 바다로 뛰어든다.

"여기서 발이라도 담그고 가요"

고운 모래가 깔린 백사장이 펼쳐져 있다. 아이들은 신발을 벗고 바지를 걷어 올린 채 발을 담그고 환호를 지른다. 한참을 걷고 즐기며 놀다 보니 이제 배도 고파진다. 가던 길을 돌아 차가 있는 고내포구로 돌아왔다.

늦은 점심을 여유 있게 즐기다 보니 시간이 많이 흘렀다. 오늘은 성산일출봉을 떠나 서귀포의 숙소로 옮기는 날이다. 아쉬운 마음을 뒤로 하고 서귀포 쪽으로 새 둥지를 찾아 옮겨 왔다. 이곳 송악산 펜션으로 생활공간을 옮기니 또 다른 느낌이 들었다. 펜션은 송악산에서도 멀지 않은 산방산 근처에 자리 잡고 있다. 2층 숙소를 안내하여 올라가니 저만치 산방산이 우뚝 서 보인다. 그 앞으로 푸른 바닷가가 멀리 펼쳐져 있다.

"당신이 바라던 전원이 이런 곳 아닌가요?"

아내가 인터넷에서 검색하여 이곳을 선택한 이유를 이야기한다.

"정말 잘했네! 괜찮은데."

마당 입구에 병솔나무가 솔방울처럼 작은 방울을 달고 서 있다. 처음 보는 나무라 어떤 꽃이 피려나 궁금하다. 2주 머무를 숙소에 짐을 풀고 오늘 점심은 과하게 먹었으니, 저녁은 간단한 라면으로 해결한다. 역시 한국 사람은 시원한 라면 국물을 마셔야 속이 후련하다.

제 2 부.
너무도 사랑해서 아픈
서귀포 (15일) I
- 이중섭이 사랑한 서귀포 앞바다 -

제주 8일 차

# 너무도 사랑해서 아픈
# 이중섭 미술관

우도에서 만난 노신사가 말한 기억이 새롭다. '작년에도 3번 한달살기를 했고 올해 또 한달살기를 위해 제주도로 왔다'는 그다.

"제주도는 비가 오면 할 수 있는 게 아무것도 없어요. 여름에는 한꺼번에 열흘씩 비가 퍼붓기도 하거든요."

오늘 같은 날씨가 그렇다. 며칠 전부터 일기예보가 비였다. 가끔 제주 날씨가 변덕이 심해 혹시나 하고 기대했지만 역시 빗발이 굵어지기 시작한다. 이슬비처럼 내리는 봄비가 아니다. 구름이 잔뜩 낀 하늘에서 비가 퍼붓기 시작했다. 아이들이 겨우 2~3일 휴가 내어 왔는데 한 시간이 아까웠다. 이럴 때 미술관은 최고의 선택지다. 차에 시동을 걸었다. 쏟아지는 빗속에 한 시간 걸려 이중섭 미술관에 도착했다.

　미술관에 도착하니 주차장은 만원이었다. 비가 와 관광객들이 실
내로 몰린 탓이다. 나는 이중섭 미술관을 제주 오면 꼭 찾고 싶었
기에 잘된 일이었다. 책에서 언론에서 보고 듣고 했던 이중섭이다.
그의 발자취를 실제로 느껴보고 실물 작품과 마주하고 싶었다. 이
중섭 미술관은 2층 건물이었다. 1층에 상설전시장으로 이중섭의
작품과 이중섭 관련 각종 서적 및 자료를 전시하고, 2층 기획전시
실은 소장품전과 기획전을 개최하고 있다. 주변에 이중섭거리가 조
성되어 있고 이중섭이 서귀포에서 가족과 함께 세 들어 살던 집이
복원되어 있다. 가족이 피난 와 거주하였던 집은 이 마을 반장 송
태주 부부가 방을 내주어 살던 곳이다. 1.4평 정도의 작은 방에서
네 가족이 서로의 숨소리까지 느끼며 끼어 살던 방이다.

방을 들여다보니 숨이 막혔다. 이 좁은 방에서 네 식구가 살았다니. 달랑 등 대고 눕기도 비좁아 보이는 단칸방 하나뿐이다. 침대나 책상 하나 놓을 공간도 없는 이 좁은 방에서 가족과 함께 게를 잡아 반찬을 만들어 먹던 가난한 삶이 이중섭 일생에서 가장 행복했던 시간이었다 한다.

그의 아내는 1937년 일본 동경 문화학원 유학 시절 사귀던 야마모토 마사코다. 한국으로 돌아온 이중섭을 찾아와 둘은 결혼하게 되었다. 둘 사이에 아들 장남 태현과 차남 태성 태어났다. 1950년 6·25전쟁이 발발하자 원산에서 이곳 서귀포로 피난 내려와 약 1년간 거주하며 〈서귀포의 환상〉 등 명작을 남겼다. 이중섭은 아내와 두 아들을 1952년 일본으로 보내고 어려운 시간을 보낸다. 부두 노동을 하며 그림을 그리고 작품 활동을 했으나 가난으로 몸과 마음은 이미 쇠약할 대로 쇠약해져 있었다. 마침내 1957년 거식증 증세가 나타나고, 영양부족과 간장염으로 서대문 적십자병원 무료 병동에서 만 40세 젊은 나이에 아깝게 숨을 거두었다. 그가 세상을 떠날 때 지켜보는 가족도 친지도 옆에 없었다 한다. 평생 가족을 만나기 위해, 주고받은 편지와 그림이 더욱 마음을 아프게 한다.

이중섭이 차남에게 보낸 편지에는 이런 구절이 있다.

*"야스나리(태성)에게*

*우리 야스나리. 건강하게 잘 지내고 있지? 친구들하고도 사이좋게 지내고 있지? 형에게 덤벼들거나 하지 말고 사이좋게 지내거라. 아빠는 야스나리(태성)와 야스카타(태현)형, 엄마를 너무너무 좋아하고 항상 보고 싶어 한단다. 야스카타 형하고 더욱더 사이좋게 지내기를 바란다. 아빠는 건강하고 그림도 열심히 그리고 있단다. 그럼. 잘 있거라. 아빠 중섭."*

편지는 형인 태현에게도 보냈다. 그리고 아내에게 보낸 편지는 그가 가족을 얼마나 사랑하는지 엿보게 한다. 편지지 한 장 둘레를 '뽀뽀'라는 글씨로 둥글게 도배하였다. 다 세어보니 37개의 뽀뽀가 편지지를 두르고 있다. 편지 속에는 이런 글이 쓰여 있다.

*"편지를 내 거처로 보내주기를 바라오. 매일 매일 얼마나 기다리고 있는지 그대는 알 것이요. 사진도 서둘러 보내주기를 바라오. ~ 중략 ~ 지금 아고리군은 4호 작품에 빠져들어 너저분한 방 한쪽 구석에서 그대와 아이들을 생각하며 편지를 쓰고 있소. 그럼, 건강하게 성과를 올릴 때까지 꿋꿋하게 버텨주기 바라오. 멋진 사진을 빨리 보내주기를 바라오. 뽀뽀, 뽀뽀, 뽀뽀, 뽀뽀, 중섭 씀. 편지를 서둘러 보내주기를 바라오."*

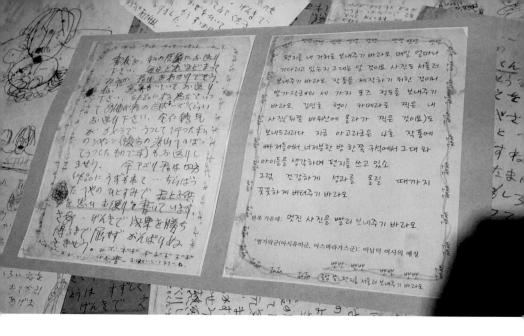

　얼마나 가족이 보고 싶으면 편지지 한 장에 뽀뽀라는 말로 도배를 했을까? 이중섭의 그림은 가난과 그리움에 지쳐있는 어두운 그림이 아니다. 〈길 떠나는 가족〉이나 〈서귀포의 환상〉 같은 그의 그림은 유쾌하기까지 하다. 오히려 전쟁과 피난, 가난과 공포를 희망과 꿈으로 승화시키려는 간절함이 짙게 묻어난다. 이중섭은 「우주」의 김환기, 「빨래터」의 박수근과 함께 한국의 대표미술가이다. 이중섭은 '한국의 국민화가'로 세계적인 '비운의 천재 화가' 빈센트 반 고흐와 비교되는 인물이다. 고흐는 「별이 빛나는 밤에」 「해바라기」 등 명작을 남기고도 본인은 정작 그림 한 점밖에 팔지 못하고 37세의 나이에 숨을 거두었다. 천재 화가 이중섭도 몇 점의 그림을 팔긴 했으나 결국 가난과 가족에 대한 그리움을 술로 달래다 병을 얻어 이른 나이에 세상을 떠났다. 1층 상설전시장에는 이중섭의 작품과 이중섭 관련 각종 서적 및 자료가 전시되어 있다. 유리관 속에는 일본에 있는 가족과 주고받은 애틋한 편지가 보관되어 있다. 이중섭이 담뱃갑 속의 은지에 그린 은지화는 이중섭을 나타내는 가장 대표적 작품 중 하나다. 그중에서도 그림 「황소」 시리즈는 이중섭의 대표작으로 꼽힌다. 2019년 경매에서 「황소」 그림은 47억 원에 팔렸다.

이중섭 미술관의 아린 감동을 뒤로 하고 바다가 보이는 카페로 장소를 옮겼다. 카페에 도착하니 바깥 뷰가 좋은 창문 쪽에는 일찍 온 손님들로 꽉 차 있었다. 잠시 임시 의자에 앉아 있으니 마침 창가 구석 쪽에 자리가 났다. 자리에 앉아 밖을 보니 바깥의 경치가 너무 멋있다. 커피는 역시 이렇게 좋은 뷰를 보며 마셔야 제맛이 나는 법이다. 물멍을 때리듯 한참 동안 창밖으로 보이는 바다를 감상했다. 좀 더 바다를 가까이서 보고 싶어 밖으로 나갔다. 계단을 내려가 해안 가까이 좀 더 내려가니 절벽으로 부딪히는 파도 소리와 새하얗게 부서지는 물보라가 장관을 이룬다. 해안 오른쪽으로 새섬과 문섬이 보이고 왼쪽으로 섶섬이 보인다. 이중섭이 가족을 그리며 늘 봐왔던 섬이다. 새섬과 문섬은 두 아들에 대한 그리움으로 그리고 섶섬은 아내를 생각하며 보았을 것이다.

허니문 하우스 커피숍에서 멀지 않은 곳에 소정방폭포가 있다. 육지에서 바다로 직접 물이 떨어진다는 소정방폭포를 보고 싶어 해안을 따라 걷는다. 해안 절벽을 향해 수없이 밀려와 하얗게 부서지는 파도가 영화의 한 장면 같다. 소정방폭포는 물이 많지 않아 웅장한 모습은 볼 수 없었다. 하지만 해안을 비롯한 주변의 경치가 너무 좋았다. 마침 뭍으로 올라온 큼직한 게 한 마리가 잔뜩 집게발을 쳐들고 방어 태세를 취한다. 자리를 움직이며 볼 때마다 게도 엉덩이를 틀어대며 언제라도 무기를 사용할 기세다. 장난삼아 건드려보고 싶었는데 어린 시절 한 번 물린 적이 있어 섣불리 게와 싸울 일이 아닌 것 같아 그만두었다. 톱니처럼 생긴 집게에게 물리면 아프다. 내가 공격할 의사가 없어 하니 게도 긴장을 푼다. 뭔 원수 졌다고 게와 싸울 일인가? 서로 좋게 헤어졌다.

폭포의 물은 적었다. 대신 폭포 해안 쪽 깊숙이 바닷물이 가득 들어와 보기에 좋았다. 이중섭 작가도 서귀포의 이 바다를 보고 또 보았을 것이다. 아무리 봐도 질리지 않는 게 바다다. 새롭게 다가오는 파도와 탁 트인 바다를 보니 시간 가는 줄 모르겠다. 오늘 하루도 가족을 사랑하고 한국을 사랑했던 가난했던 천재 화가 이중섭을 생각하며 즐거운 시간을 가졌다. 호텔 정원에 하늘 높이 솟은 야자수 나무 사이를 걷노라니 내 나라에도 이렇게 좋은 곳이 있구나 싶다. 유럽의 어느 거리를 걷는 기분에 빠져든다.

제주 9일 차

# 용머리 해변
# 하멜 상선과 용두암

아들·딸이 다시 떠나는 날이다. 올 때는 각자 사정으로 따로 왔지만, 갈 때는 같은 비행기를 타기로 했단다. 비행기 시간이 오후 3시 45분이니 공항에 3시까지만 도착하면 된다. 가기 전에 조금이라도 알뜰한 여행이 될 수 있도록 산방산 아래에 있는 용머리 해안을 가기로 했다. 절벽 해안 쪽으로 길이 있어 파도가 심하면 자주 통행을 금지 시키는 곳이다,

'제발 오늘은 통행금지가 아니기를….' 하며 갔는데 아니나 다를까 오늘도 역시 통행금지다.

대신 용머리 해안을 보지 못하고 돌아서는 일행을 붙잡는 오래된 상선 한 척이 있다. 바로 1653년 8월 16일 뜻하지 않게 조선에 착륙하게 된 하멜 일행의 상선이다. 네덜란드인 헨드릭 하멜은 네덜란드 동인도회사 소속원들과 함께 상선인 「스페로웨르호」를 타고

일본으로 항해 도중 풍랑을 만나 대정현 지역에 들어오게 된 것이
다. 그는 13년 동안 조선에 살게 되면서 하멜표류기를 작성하였는
데 이 책이 베스트셀러가 되면서부터 조선 사람들의 사회생활과
정치, 문화, 법률 등을 유럽 전역으로 알리게 되었다. 상선의 크기
는 전장 36.6m, 폭 7.8m, 갑판 높이 11m로 비교적 큰 배였다.
실제 선실 내부로 들어가니 1층에 여러 선원이 먹고 자고 했던 공
간이 있고 2층에 선장과 간부들이 회의실로 사용했던 공간이 있
다. 회의 장면이 밀랍으로 설치되어 있어 실제 상황처럼 느껴지기
도 했다.

용머리 해안을 떠나 공항 가까이에 있는 용두암에서 남은 시간을 보내기로 했다. 용두암은 참 오랜만에 찾는 해안이다. 보는 사람에 따라 바다를 바라보며 입을 벌리고 있는 용머리로 보이기도 하고, 육지 쪽 하늘로 머리를 들고 포효하는 용의 모습이기도 하다. 어찌 되었든 바위를 떡 주무르듯 주물러 이러한 작품을 만들 수 있는 것은 자연의 힘이 아닐까 한다.

용두암에서 걸어서 10여 분 거리에 있는 용연계곡을 둘러봤다. 영주십이경 중 하나인 용연야범의 장소이다. 용이 놀던 용연계곡이라 한다. 또 하나의 비경을 감상하다 비행기 탑승 시간이 되어 공항으로 이동했다. 불과 며칠 사이지만 가족이 함께 걷고 먹고 많은 이야기를 나눌 수 있어 좋았다. 막상 아이들을 공항에 내려주고 작별 인사를 하니 짠한 마음이 든다. 불과 20여 일 후 다시 만날 것인데도 아쉬움이 남는다.

# 영주십경 산방산과
# 신의 조각 작품 주상절리

오늘은 산방산 중턱에 있는 산방굴사를 찾았다. 산방산은 사방이 깎아지른 듯한 바위 벼랑으로 되어있어 올라갈 수 없어 산방굴사 까지만 오르기로 했다. 산방산은 명승 제77호로 제주를 만들었다 는 설문대할망이 한라산 백록담의 봉우리를 뽑아 던져 만들었다는 전설이 있는 산이다. 높이가 395m의 기암절벽으로 거대한 종 모 양의 화산체이다. 흐린 날에는 대부분 구름이 정상을 가려 보이지 않는 날이 많다. 산방산은 제주도인들에게는 신령한 산이다. 산방 산에서 이어진 용머리해안은 산에서 나온 용이 머리를 화순 해변 으로 향한 채 바닷속으로 들어가는 형상이다.

산방산에는 한 곳에 세 개의 절이 자리 잡고 있다. 제일 위로 광명사, 중간에 산방사, 그 옆으로 보문사가 있다. 드문 현상이다. 출입구만 다를 뿐 담도 없이 이 절에서 저절로 통해져 있다.

다른 종교가 아닌 같은 불교인데 한 곳에 세 개의 절이 있는 것이 참으로 낯설게 느껴졌다. 그런가 하면 세 개의 절을 지나 산중턱에 위치한 산방굴사에는 또 하나의 불상이 있는데 그 불상은 절이 아니라 마을에서 관리한다고 했다. 입장료는 어른 1,000원, 어린이 500원씩 받고 있다. 산방굴사는 천연 굴로 예로부터 많은 스님들이 수도를 했던 곳이라 한다. 멀리서 목탁을 두드리며 염불하는 소리가 들렸다. 스님의 라이브 음성을 들을 수 있나 기대하고 가보니 녹음기에서 나는 소리였다. 좀 실망스러웠다. 산방굴사는 성산 일출 등과 함께 영주십경(瀛州十景) 즉 제주의 경치 좋은 곳 중 제8경으로 손꼽히는 곳이다.

산방산에서 차로 20분 거리에 중문단지가 있고 대포주상절리대가 있다. 대포주상절리는 제주도 천연기념물 제443호로 지정되어 있다. 높이가 30~40m, 폭이 약 1km 정도로 우리나라 최대의 규모를 자랑한다. 마치 육각형 모양의 기둥이 병풍처럼 펼쳐져 있어 자연의 신비로움에 감탄이 절로 나온다. 파도가 심할 때는 높이 20m이상 치솟아 부서지는 물보라가 장관이라 한다. 신의 작품이 아니고서야 어떻게 이런 모습의 작품이 생겨났을까 싶다. 주상절리는 제주 올레길 8코스로 이어지는데 소철 나무와 키 큰 야자수가 어울려 아름다운 경관을 선물한다.

제주 11일 차

제주의 빛이 된
추사 김정희의 유배지

아침을 먹고 나니 비가 와서 특별히 갈 곳도 마땅하지 않았다.
그래서 한동안 배우고 있던 당구를 하고자 가까운 근처에 당구장
을 찾았다. 노후에 즐길 취미로 부부가 함께하기로 해 당구를 배우
고 있다. 아내는 겨우 3개월 되었다. 이제 겨우 자세를 배우고 몇
가지 길을 익히는 중이라 아직 재미를 느끼진 않는 모양이다. 지도
해 주는 프로가 있는데 연습 갔다 오면 왜 그렇게 안 맞는지 모른
다고 푸념이다.

"내가 운동감각이 없나 봐!"

"아니야 누구나 마찬가지야! 처음에는 다 그렇지. 처음부터 잘 되는 사람 있나?"

부부가 함께할 좋은 취미 거리를 골랐는데 중도 포기할까 봐서 걱정이다.

"선수들 치는 것도 봐! 안 맞을 땐 죽어라 안 맞는 게 당구야. 조금만 더 배워 게임을 할 정도 되면 정말 재미에 폭 빠질걸. 잘 참고 기다려 봐"

용기를 푹푹 불어넣어 준다.


오후가 되니 비가 좀 잦아들었다. 숙소 근처 추사 김정희 선생 유배지가 서귀포 대정리에 있어서 가보기로 했다. 추사 김정희는 시·서·화 분야에서 독창적인 업적을 남긴 조선 시대 대표적인 학자이자 예술가다. 조선 현종 6년(1840) 억울한 누명을 쓰고 유배되어 현종 14년(1848)까지 9년간 제주도 대정리에 머물렀다. 추사 김정희는 여기 제주도에 머무는 동안 그 유명한 추사체를 완성하고 생애 최고의 명작으로 꼽히는 세한도(국보 180호)를 비롯한 많은 서화를 남겼다. 김정희는 제주에 머무는 동안 제주 유생들에게 학문과 서예를 가르쳤으며 제주 지역의 학문 발전에 크게 이바지하였다.

　세한도는 크기 23㎝×69.2㎝로 김정희가 제주도 유배지에서 수묵으로만 간략히 그린 그림이다. 세한도는 그의 제자 이상적(1804~1865)이 사제 간의 의리를 지키기 위해 두 차례나 귀한 서책을 구해서 제주도까지 찾아온 것에 대한 고마움을 나타낸 그림이다. 세한도에는 *"세한연후 지송백지후조야(歲寒然後 知松柏之後彫也)"*라는 논어에서 따온 공자의 글귀가 있다. *"날씨가 추워진 뒤에야 비로소 소나무와 잣나무가 돋보이는 것을 알 수가 있다."*라는 뜻이다. 소나무와 잣나무가 날씨가 추워진 뒤에 제일 늦게 낙엽이 진다는 공자의 말씀을 따라 제자의 지조와 의리에 대한 인품을 나타낸 그림이다.

　*"송백은 사계절 내내 시들지 않아 세한 이전에도 하나의 송백이요, 세한 이후에도 하나의 송백이네. 성인이 특히 세한을 당한 이후를 칭찬하였는데, 지금 자네는 이전이라 더한 것도 없고, 이후라도 덜한 것이 없네!"*라며 세한도 발문에 적어 넣어 제자를 칭찬하고 있다.

추사 김정희 유배지에는 유배 생활을 했던 집터가 복원되어 당시 집의 구조와 생활을 엿볼 수 있다. 유배지인 대정현에 도착하여 추사는 제자 중 한 명인 강도순의 집에서 오래도록 거주하였다. 당시 강도순은 이 지역에 땅을 많이 갖고 있는 부자였다. 기념관에는 당시의 초가집이 그대로 복원되어 있다. 제주 특유의 대문인 정낭이 있고 차를 마시던 거소와 제자들을 가르치는 행랑채 등이 있다. 여기에 밀랍 인형이 만들어져 있어 잠시 그 시대로 돌아간 듯 감상할 수가 있다. 제주 특유의 초가지붕은 바람에 날아가지 않게 굵은 새끼줄로 바둑판처럼 엮어 놓았다. 바람에 피해나 저항을 최대한 줄이기 위해 추녀 밑까지 쌓아 놓은 돌담이나 낮은 집 높이도 볼 수 있다.

특히 모거리는 김정희가 기거하던 곳이다. 김정희는 어린 시절 할아버지가 영조 대왕의 사위였던 경주 김씨 집안에서 태어났다. 어릴 때부터 글쓰기가 탁월해 천재 소리를 듣던 수재였다. 승승장구하며 잘나가던 그는 안동 김씨 세력의 모함으로 '윤상도 옥사 사건'에 연루되어 8년 3개월 유배 생활을 하였다. 제주 유배 생활 동안 전국에서 가르침을 받으러 찾아온 제자들만도 약 3천 명에 이르렀다 한다. 제자들에게는 추사 김정희가 제주도에 유배 온 것이 큰 기회가 되지 않았나 싶다. 그는 유배 생활 동안 잠시도 붓을 손에서 놓지 않고 벼루 열 개가 구멍이 나고 붓 천 자루가 닳아 없어질 정도로 글을 쓰고 갈고 닦았다. 추사체는 그렇게 고뇌와 고통 속에서 완성되었다고 볼 수 있다.

추사는 차를 좋아해 유배 시절 차나무를 심고 가꾸었다. 오랜 지기였던 초의 스님과 차를 나눠 마시며 담소하는 밀랍 인형도 있다. 초이 스님은 다산 정약용 선생이 전라남도 강진에 유배 중일 때 주역과 시문을 배웠다 한다. 그리고 우리 차의 우수성을 노래하는 '동다송(東茶頌)'을 지어 불렀다 한다. 초의는 매해 봄, 처음으로 나오는 녹차의 새잎을 따서 추사에게 보낼 정도로 둘은 끈끈한 관계였다. 추사는 까다로운 입맛을 가졌으나 찻잎을 씹고 다닐 정도로 녹차를 사랑했다 한다. 추사가 머무르는 곳은 추사를 따르는 많은 사람들과 제자들로 문정성시를 이루었다. 몇 차례 거주지를 옮겼던 추사는 유배가 끝날 무렵에는 안덕 계곡 근방 창천리에 머물렀다 한다. 사계절 내내 물이 끊기지 않는 안덕 계곡을 좋아해 이곳에 머물렀다. 우리는 산방산과 안덕 계곡을 찾아 군데군데 걸으며 추사의 마음을 잠시나마 새겨 보는 시간을 가졌다.

제주 12일 차

## 제주 올레길 14-1코스와
## 문도지오름

    제주 올레길 14-1코스는 오설록티뮤지엄에서 저지 예술 정보화 마을까지 걷는 역코스다. 올레길을 함께 걸으며 인도하는 안내자가 있다고 했다. 올레길 아카데미 출신으로 전문 가이드가 되기 위한 실습생이어서 무료 봉사라 한다. 9시 30분에 녹차밭 조랑말 푯말이 있는 출발 지점에 신청자들 열다섯 명이 모였다. 녹차밭은 새로 돋아난 찻잎으로 초록 마당이다. 마치 토끼 새끼가 두 귀를 쫑긋 세우고 있는 것처럼 연녹색 잎을 세우고 있다. 손으로 휙 잡아 짜면 금방이라도 연녹색 녹차 물이 뚝뚝 떨어질 것 같다.

인원이 다 모이니 가이드가 인사를 한다.

"안녕하십니까? 오늘 봉사를 맡은 000입니다. 저는 제주 올레길 아카데미 실습생입니다. '가이드가 아니라 함께 길을 걷는 사람'으로 생각해 주시면 고맙겠습니다. 그러면 출발하기 전 구호 한번 외치고 출발할까요? 제가 제주! 하면 올레! 하고 외쳐 주십시오."

"제주!" 하니 모두가 "올레!"를 힘차게 외친다. 박수와 함성으로 출발을 시작했다. 출발하자마자 숲길이었다. 잘 다듬어진 길이 아니라 돌과 나무로 우거진 숲길이었다. 자연 숲길이라 길이 울퉁불퉁했다.

14코스가 먼저 해안을 따라 만들어지고 14-1코스가 후에 내륙 길로 만들어졌다 한다. 이러한 지형을 제주도 방언으로 곶자왈 지대라고 한다. 곶자왈은 나무·덩굴식물·암석 등이 뒤섞인 어수선한 제주도만의 독특한 숲 또는 지형이다. 세 시간 코스에 거의 한 시간 이상을 이 곶자왈 지역을 통과한다. 이곳에는 멸종위기에 있는 개가시나무가 있다. 제주 지역에 겨우 100여 그루만 있어 환경부가 멸종위기 나무로 지정하여 보호하고 있다 한다. 저지 곶자왈을 걸으면서, 이렇게 자연 그대로의 숲이 돌과 어울려 있는 것이 너무 신기한 체험인 것 같았다. 내가 자연 속에 하나의 주인공으로 들어와 있는 기분이었다.

한참을 걸어 나오니 걷기 좋은 둘레길이 나오고 중간 기지로 스탬프를 찍는 장소가 나온다. 순서대로 제주올레 패스포트를 꺼내어 스탬프를 찍는다. 제주올레 14-1 문도지 오름길로 들어선다. 제주는 산이 적고 구릉지대로 조금만 오름을 올라도 시야가 탁 트여 멀리까지 볼 수 있다. 문도지오름에 오르니 산등성이에는 평평하고 나무가 없는 초원지대로 말들이 방목되어 풀을 뜯고 있었다.

들길을 따라 걷다 보니 어느덧 목적지인 14-1코스 스탬프를 찍는 저지 예술 정보화 마을에 도착하였다. 순서대로 스탬프를 찍었다. 먼 길을 걸어올 때는 힘도 들었는데 목적지에 도착해 확인 스탬프를 찍고 나니 피곤이 확 풀리는 것 같다. 차를 둔 출발지로 돌아가기 위해 버스를 탔다. 순환버스 820-1번을 타니 출발했던 오설록티뮤지엄까지 세 시간 걸었던 거리를 단 8분 만에 도착했다. 오설록티뮤지엄에 도착하니 며칠 전 친구들과 제주에 도착해서 있던 처제가 합류하기 위해 기다리고 있었다.

오설록에서 산방산 근처 숙소로 돌아오는 길에 사계항을 들렸다. 아직 해가 넘어가기는 이른 시간이니 일찍 숙소로 갈 일도 아니었다. 바닷가에 가서 바람도 쐬고 해녀의 집에 가서 먹거리도 찾아볼 생각이었다. 처제가 오랜만에 제주도에 왔으니 맛있는 것 좀 사주고 싶었다. 마침 문 닫기 전 6시가 조금 안 된 시간이라 해녀들이 손짓을 한다. 떨이로 많이 주겠단다. 손짓을 한 해녀의 집으로 들어가 주문하니 소라, 전복, 멍게, 문어, 돌미역 등 한 접시가 먹음직스럽게 나왔다. 이럴 때 소주가 빠지면 섭섭하다. 소주 한 병을 시켜 소주 한잔에 싱싱한 해물 요리를 안주로 먹는다. 싱싱한 바다가 입속에 녹아드는 느낌이었다.
"역시 이 맛이야! 제주 한달살기 건배!"

# 꼭 가봐야 할 제주의 숲
# 곶자왈 도립공원

제주 올레길이 민간인에 의하여 개발된 길이라면 제주 곶자왈 도립공원은 제주도 지자체에서 개발해 놓은 공원이다. 제주 곶자왈 도립공원은 제주 서귀포시 대정읍 에듀시티로 178번지에 자리 잡고 있다. 면적은 1,546,757㎡에 이른다. 공원 내부 지역의 자연경관 보전과 지역 균형발전, 지역문화 및 지역경제 활성화를 위한 최소한의 공원시설이 계획되어 있다. 주변에 오설록티뮤지엄, 유리의 성, 생각하는 정원, 신화역사공원 등이 가까이 있고, 영어 교육도시가 바로 인접해 있다. 제주 올레길도 훌륭하지만, 제주 곶자왈 도립공원도 반드시 가봐야 할 훌륭한 장소이다. 총 5코스로 이루어져 있다. 누구나 자신에 맞는 코스를 택하여 탐방하며 제주의 진면목을 만끽할 수 있다. 오늘 우리는 5코스 중 3코스만 선택하여 걷기로 했다. 중간을 가로지르는 빌레길이나 같은 길을 갔다가 되돌아와야 하는 가시낭길을 제외하면 3코스만 돌아도 한 바퀴를 돌게 설계되어 있다. 한 바퀴를 도는 데는 약 80분 정도가 소요된다.

우리는 해설사가 있는 시간에 맞추어 걷기로 했다. 다행히 옆에 깔끔한 카페가 있어 커피 한잔하며 30분을 기다렸다. 시간이 되니 긴 챙모자를 쓴 현지 해설사가 나타났다.

"안녕 하우꽈! 혼저 옵서예."

"아니요. 가족과 함께 왔습니다."

해설사는 웃으며 "안녕하십니까. 어서 오십시오"를 제주 방언으로 인사를 한다. 몇 마디 더 제주도 방언을 이야기하는데 통 알아들을 수가 없다. 방언 몇 개를 적어본다,

'요새 어떵 살미꽈'는 '요새 어떻게 사십니까?'라는 뜻이고 '농담 갑서양'은 '놀다 가세요.' 란 뜻이다. 상황에 따라 눈치로 뜻을 알아채야지 사투리에 억양까지 섞어 그들이 이야기하면 한 번에 알아듣기 쉽지 않다. '왕방 갑서'는 '와서 보고 가세요.'이고 '나 이녁 소모소 소랑 헴수다.'는 '제가 당신을 무척 사랑합니다.'라는 뜻이라니 이걸 어떻게 금방 알아들을 수 있는가? 해설사는 자신이 순수한 제주 토박이로 과일 농사, 밭농사 등 수십 년을 농사짓고 살던 토박이 농사꾼이라고 소개한다. 주중 2회, 주말에는 총 4회를 해설 봉사를 하고 있다 한다.

해설을 들으면서 걷는 것은 큰 의미가 있다.

숲으로 들어가는 첫 입구에서부터 나뭇잎을 두세 개 떼어 맛을 보라며 나눠준다. 조그만 이파리 한 조각을 씹어 보니 점점 쓴맛이 입안에 퍼진다.

"이게 무슨 나무꽈?"

하고 묻는다. 무슨 나무인지 몰라도 맛본 사람들은 너도나도 '퉤
퉤!'하고 뱉어 버린다. 그러니 이게 '소태나무'란다. 말로 많이 들
어봤던 소태나무다. 옛날 아이 젖을 뗄 때 어머니들은 젖꼭지에 소
태를 발라 두었다 한다. 쓴맛이 한 시간을 간다고 한다. 약용으로
쓰이고 입맛을 돌게 한다고 한다. 쓴맛을 본 우리에게 한 시간 뒤
해설이 끝나는 지점에 단맛 나는 열매가 있다며 맛보게 해주겠단
다. 자연은 병 주고 약 주는 신비함이 있는 것 같다.

좀 더 데크 길을 따라가니 녹색 나뭇잎 끝으로 마치 죽어가는
듯 누런 색깔로 늘어진 잎이 있는 나무가 보였다. 그는 그 나무를
붙잡더니 묻는다.

"이 잎은 꽃일까요? 죽은 나뭇잎일까요?"

"시든 잎이요! 새순이요! 꽃잎이요!" 여기저기 다른 대답이 나왔다.

누렇게 떠 축 늘어진 것이 영락없는 죽은 나뭇잎 같다. 그런가
하면 파란 이파리 위에 다른 색깔이 돋아나 누런 꽃이 피어난 것
같기도 하다.

"새순이 맞습니다. 그런데 왜 이렇게 죽은 나뭇잎처럼 보일까요?"

그는 재미있는 해설을 덧붙인다.

"벌레는 연한 새잎을 좋아하겠지요? 그런데 나무 입장에서는 어
떤가요? 오래되어 퇴색한 나뭇잎을 버리고 새잎을 키워야 왕성하
게 활동하여 양분을 빨아들이겠지요? 그러니 나무 입장에서는 새
잎을 벌레들에게 빼앗기고 싶겠어요?" 그럴듯하다.

"그래서 이 나무는 새순을 누렇게 빛 바란 색으로 축 처지게 만들어 '나는 새잎이 아니다'하고 벌레들을 속이는 전술을 쓴 겁니다. 이 나무가 참식나무입니다" 하고 설명한다. 나무에게 정말 그러냐고 물어볼 수 없지만 기가 막힌 자기 보호 전술에는 틀림없는 것 같다. 녹색 나뭇가지 위에 누렇게 다른 색깔의 잎이 있어 꽃인가 궁금했는데 꽃이 아닌 새잎이라니 궁금증이 풀렸다.

테우리길은 데크로 이루어져 걷기에 편안한 길이었다. 그다음부터 이어지는 오찬이 길은 원시림 그대로였다. 오찬이 길은 용암동굴 안에 살았다는 오찬이라는 사람의 이름을 따서 만든 길이라 한다. 화산지대 특유의 화산석이 바닥에 좍 깔려 있어 울퉁불퉁하고 자칫하면 넘어지기 쉬워 걷는데 여간 조심스럽지 않다. 자갈돌로 이루어진 척박한 땅이다 보니 나무들이 뿌리 내리고 살기에 적합한 땅이 아니다. 자칫 거친 바람이라도 불면 뿌리째 날아갈 수도 있다. 그래서 나무들은 자갈을 뚫고 뿌리도 내려야 하기에 뿌리가 돌처럼 단단하다.

곶자왈은 원시적인 자연림으로 햇빛을 보지 않고도 2~3시간을 걸을 수 있는 자갈밭 숲길이다. 울퉁불퉁 자갈밭 길이라 잠시도 한눈을 팔기 어렵다. 이곳을 한 바퀴 돌면 제주의 모든 곶자왈을 한곳에서 다 돌아본 것과 다르지 않기 때문이다. 여러 곳을 돌 시간이 없다면 제주를 올 때마다 제주 도립공원 곶자왈을 한 바퀴 돌면 될 것 같다. 계절마다 다른 색깔로 맞아 줄 것이고 그때마다 산새들은 또다시 반겨 줄 것이다.

제주 14일 차

# 뜻밖의 만남
# 왕이메 오름 분화구

　그렇게 보고 싶었던 분화구였다. 제주도 와서 여러 오름을 올라 분화구를 보았지만, 오늘같이 직접 내려와 볼 수 있었던 건 처음이다. 서귀포시 안덕면 광평리에 위치한 '왕이메오름'이다. 왕이메오름은 옛날 탐라국 삼신왕이 이곳에 와 사흘 동안 기도를 드렸다는데서 유래한 이름이다. 숲길을 따라 거의 한 시간쯤 걷다 보니 분화구로 내려가는 길로 접어든다.

분화구는 오름으로 둘러싸여 있어 마치 그리스 고대의 야외음악당처럼 메아리 효과가 있다. 사방에서 앞다투어 산새가 울고 있다. 산새의 울음소리가 맑고 또렷하게 들려온다. 가끔 울고 있는 꿩 소리가 '꿩꿩' 적막을 깨듯 공중에 흩어져 퍼진다. 아마 짝을 찾는 구애의 소리일 수도 있고, 산란을 앞두고 어미의 도도한 기품을 뿜내고 있는 것 같기도 하다. 그런가 하면 요즘 보고 듣기 어려운 딱따구리가 '딱 다닥, 딱 다다닥' 하며 나무를 쪼는 소리가 타악기를 두드리는 음악가의 두드림처럼 들린다. 둥글게 소리를 모으는 자연 음악당이 여기 만들어져 하모니를 이루고 있다.

여기 온 것을 나보다 더 좋아하는 두 자매가 있다. 아내와 처제는 이야기가 끝이 없다. 이들의 대화는 역사와의 대화가 아니라 현실적인 대화다. 어떤 대화든 여기서는 대화의 장을 제공한다. 다른 관광지처럼 많은 사람들이 왔다 갔다 하지 않는다. 시끌벅적한 것도 아니고 소음이 있는 것도 아니다. 우리 세 사람만 이 무대에 있다. 두 자매는 아예 분화구 바닥에 주저앉아 일어설 줄을 모른다. 벌써 두 시간째다. 끝날 기미가 보이지 않는다. 아니 일어날 생각이 없는 것 같다. 보온병에 담아온 커피까지 있어 한잔하니 이런 카페가 어디 있느냐 한다. 생각해 보니 틀린 이야기가 아니다. 누가 나가라고 하는 것도 아니고 돈을 더 내라고 하는 것도 아니다. 분화구 위로 푸른 하늘과 흰 구름, 방패처럼 둘러싸인 연두색 숲속, 그리고 라이브로 들려주는 산새 소리까지 부족함이 없다. 오늘, 이 순간만큼은 우리가 무대의 주인공이다.

이렇게 좋은 무대는 일찍이 보지 못했던 것 같다. 아무리 오랜 시간 앉아 있어도 마냥 좋다. 얼마나 시간이 지났는지 모른다. 제주도에 와 한 자리에 이렇게 오래 앉아 있기는 처음이다.

"집에 안 가요? 어두워지겠네."

"벌써 그렇게 됐나? 오늘 여기 최고예요. 너무 좋았어요."

연신 감탄사를 쏟아낸다. 분화구 위로 해가 넘어가기 시작하니 일어설 시간이 되었나 보다. 오늘 하루가 뜻 깊었고 만족했던 시간이었다. 하루를 이렇게 스스로 의미를 부여하며 사는 게 얼마나 행복한 일인지 모른다. 욕심 없이 자연과 함께 평범함 속에서 느끼는 행복! 그 맛을 맘껏 누린 하루였다.

제주 15일 차

# 대한민국 최남단
# 마라도로 가자

마라도는 대한민국 최남단 섬이다. 마라도는 모슬포항 즉, 운진 항에서 남쪽으로 11km에 자리 잡고 있다. 배로 25분 걸리며 남북 1.3km 크기의 섬이다. 도보로 한 바퀴 섬을 도는 데 1시간이면 된다. 마라도는 난대성 해양 동식물이 풍부하고 경관이 아름다워 섬 전체가 천연기념물 423호로 지정되어 있다.

"야! 드디어 마라도다!"

환호가 터져 나온다. 마라도 해안은 검은 현무암으로 절벽을 이루고 있다. 일명 빠삐용 해안이란다. 영화 「빠삐용」에서 죽음을 무릅쓰고 탈출을 감행하는 빠삐용이 바다로 뛰어들던 절벽과 같은 모양이다.

빠삐용 해안 절벽을 보며 뭍으로 오르니 잔디가 깔린 공터가 보인다. 이곳이 마라도에서 가장 큰 광장이다. 저 광장 끝 쪽 민가가 있는 곳에만 나무숲이 조금 보일 뿐 큰 건물 하나 보이지 않는다. 사방이 절벽이다. 민가가 있는 일부를 제외하면 나무가 뿌리를 내릴 흙도 없어 보인다. 이 동네 주민들의 생계 수단은 전복이나 소라 등 해산물을 따는 것이다. 그리고 관광객을 상대로 가게를 운영하는 것이 전부다. 논농사 밭농사를 지을만한 공간도 부족하다. 광장을 조금 걸으면 저 앞으로 마라도에 사는 주민들의 음식점들이 보인다. 해녀들이 갓 잡아 올린 해삼과 전복으로 짬뽕과 라면을 끓였다고 인기가 많은 음식점들이다. 집집마다 '토박이 집. 용왕님이 반한 집, TV에 나온 철가방 든 해녀 집' 등 광고를 내 걸고 장사를 하고 있었다.

마라도에 사는 주민들은 100여 명 정도로 그리 많지는 않지만 3대 종교가 다 있다. 그리고 마라도 관광 쉼터 앞에 국토 최남단이라 새겨진 비석이 서 있어 이곳이 국토 끝 섬이란 걸 알려준다. 언덕을 올라가면 하얀 등대가 가장 높은 장소에 서 있다. 성당은 그 앞에 자리 잡고 있는데 건물 모습이 귀엽다. 성당 건물은 마라도 특산물인 전복, 소라 등을 형상화해 지었다고 한다.

높은 산도 없고 농사지을 농토도 없는 작은 섬 마라도는 오랜 해풍으로 만들어진 해식동굴과 기암절벽의 놀라운 자연경관으로 되어있다. 마라도에 서면 저 멀리 한라산이 보이고 형제섬, 산방산, 송악산의 경치가 가파도와 함께 어우러져 한 편의 그림처럼 펼쳐 보인다. 제주 본섬의 아름다운 비경을 한 곳에서 만끽할 수 있는 곳이다. 또한 마라도는 한 곳에서 일출과 일몰을 볼 수 있는 둘도 없는 장소다. 그뿐만 아니라 많은 어종이 서식하고 있어 낚시꾼들에게는 큰 사랑을 받는 곳이기도 하다. 잠시 몇 시간 머물다 가지만 언제 또다시 이 섬을 찾을 수 있을지는 모른다. 이 푸른 바다 한가운데 우리의 땅인 마라도가 앞으로도 더욱 사랑받는 한반도 최남단 섬이 되길 기원하며 마라도와 작별을 한다.

"잘 있어라 마라도야!"

제 3 부.
너무도 사랑해서 아픈
서귀포 (15일) 2
- 추사가 즐기던 안덕계곡 -

제주 16일 차

# 한라산 어리목코스
# 어승생악과 1,100고지

　제주 한달살기 프로젝트를 시작한 지 반환점을 도는 16일 차 날이다. 오늘은 어승생악을 오르기로 했다. 한라산을 반 바퀴 돌아 어리목코스로 가는 순환로는 말 그대로 터널 숲이었다.

'어승생악'은 임금이 타는 말이 태어난 곳이라 하여 붙여진 이름이란다. 조선 정조 때(1797) 이곳에서 용마가 태어나 목사 조명집이 왕에게 바쳐 벼슬을 하사받았다는 이야기가 전해 온다. 어승생악은 정상의 높이가 1,169m인데, 어리목 주차장이 970m에 있어서 차로 어리목 주차장까지 와서 1시간 정도 오르면 정상이다. 날씨가 좋은 날은 정상에서 백록담 화구벽이 올려다 보이고, 저 멀리는 성산일출봉과 우도, 추자도, 비양도, 남해안 일대를 조망할 수 있는 최고의 경관 요지다.

정상에 오르는 순간 사방이 탁 트인 공간이 일품이었다. 가장 먼저 눈앞에 보이는 것은 웅장하게 솟아있는 한라산 정상이었다. 남쪽으로 한라산과 윗세오름, 병풍바위가 보이고 북쪽으로는 제주 시내가 한눈에 보인다. 한라산 정상에서 눈을 떼기 어려워, 보고 또 보고를 수없이 반복했다. 저 높은 산꼭대기에 분화구가 있고 백록담엔 어느 정도 물이 고여 있다는 사실 자체가 신비롭지 않을 수 없었다. 오늘 백록담에 오른 지인이 카톡으로 백록담 사진을 전송해 왔다. 전에 백두산 천지에 올랐을 때처럼 물은 비록 많지 않았지만, 그때의 감동이 다시 뜨겁게 올라왔다.

어승생악을 내려오며 미처 보지 못한 숲을 좀 더 자세히 살펴보니 너무 아름다운 자연경관이 눈에 들어왔다. 고은 시인이 쓴 '꽃'이라는 시가 생각났다. '내려올 때 보았네, 올라갈 때 보지 못한 그 꽃' 그런 것 같다. 우리는 늘 바쁘게 허둥거리며 살아오지 않았나 싶다.

어승생악정상
해발1,169m

1100고지습지

1100고지
탐방로
1100-Altitude Wetland
Nature Discovery Trail
1100高地濕地
自然學習探訪路
1100高地濕地
自然學習探訪路

입구
→

좀 더 천천히 자세히 살펴보면 예쁘고, 귀엽고, 사랑스럽고 아름다운 모습이 얼마든지 있는데도 부족하고 단점만 보는 데 익숙하지 않았나 생각된다. 고은 시인은 또 제주도에 와 한라산이란 글에서 이런 구절을 남겼다.

"삼양리 검은 모래야, 너 또한 한라산이지 그렇지"

어승생악을 내려와 조금 이동하니 제주 1,100고지 습지보호지역이 있었다. 한라산 고원지대에 형성된 대표적인 산지습지로 물이 고이기 어려운 한라산 지질 특성에서 매우 중요한 지역이다. 마치 동식물에게 물을 먹일 수 있는 옹달샘 같은 샘으로 사막의 오아시스 같은 곳이 아닐까 싶다. 1,100고지 습지에서는 제주 도롱뇽, 북방산개구리, 청개구리, 유혈목이, 쇠살모사, 무당개구리 등 양서·파충류가 많이 살고 있다 한다.

숙소로 가기 전 화순 포구를 들렀다. 산방산 뒤쪽에 자리 잡고 있는데 산방산 유람선이 출발하는 곳이다. 포구에서 낚시하는 사람들이 있어 다가가 봤다.

"무슨 낚시를 하세요?"하고 물으니,

"무늬오징어 낚시를 하고 있습니다"

잠시 지켜보고 있노라니 뭔가 걸린 모양이다. 낚시를 재빨리 채더니 걷어 올린다. 낚시에는 쥐치가 한 마리 낚여 올라왔다. 그런데 낚시 미끼가 지렁이가 아니라 살아있는 고기였다.

"아니 이게 뭐죠?"

"살아있는 정어리입니다. 무늬오징어는 죽은 건 잘 안 물어요. 그래서 산 놈을 씁니다."

그러면서 그는 죽은 정어리는 버리고 다시 살아 있는 정어리를 미끼로 끼워 바다로 던진다.

낚싯줄이 정어리가 헤엄쳐 가는 방향으로 왔다 갔다 끌려다니는 모습이 신기했다. 무늬오징어 잡는 것을 보고 싶었는데 저녁때가 다되어 부득이 인사를 하고 자리를 떠났다.

제주 17일 차
## 금싸라기 땅으로 변한
## 환상숲과 버스 투어

　오늘은 처제가 먼저 떠나는 날이다. 오전 비행기를 타야 하기에 조금 일찍 서둘러야 한다. 며칠 동안 우리와 함께 제주 올레길도 걷고, 몇 개의 오름도 오르며 지냈다. '든 자리는 몰라도 난 자리는 안다'고 처제가 떠나고 나면 다시 좀 허전하지 않을까 싶다. 한

사코 그냥 가겠다고 했지만, 근처 우리가 잘 가는 생선 백반집에서 따뜻한 아점을 먹여 보내기로 했다. 그래야 서운하지 않을 것 같다. 가격은 1인분에 9,900원 하는데 이름난 맛집이란다. 혼자 가면 생선 한 종류가 나오지만, 셋이 가면 갈치, 고등어, 옥돔 등 세 종류의 생선이 나온다. 밑반찬도 괜찮게 나와 한 끼 식사 푸짐하게 할 수 있다. 먼 길 보내는데 따뜻한 밥 한 끼 먹여 보내니 우리 부부 마음도 편안해진다.

"언니 형부 덕분에 며칠 잘 놀다 갑니다."

"이제 우리가 심심하겠는걸."

공항 가는 순환버스 있는 곳까지 배웅하고 우리는 다시 다음 일정에 나섰다.


제주는 차를 가지고 오지 않아도 순환버스가 있어 여행하기 편리하다. 버스 회사에서 크게 두 개 지역을 나눠 순환버스 1일 정액권 12,000원짜리를 발행하고 있다. 이 정액권을 이용하면 대부분 관람하는 입장료의 20% 정도 할인 혜택도 있다. 우리도 오늘은 승용차를 제주 오설록티뮤지엄 공용주차장에 세워두고 순환버스를 이용하기로 했다. 오설록에서 환상숲 곶자왈공원을 먼저 보기 위해 버스에 탑승했다. 버스를 타니 안내 도우미가 친절하게 안내를 해준다. 요즘은 보기 힘든 안내 도우미의 추억이 떠오른다. 옛날 버스에는 반드시 안내양이 있었다. 차는 늘 만원이었고 안내양은 차 안으로 손님들을 밀어 넣었다. 돈주머니를 옆에 차고 그 좁은 데서 차비를 받고 거스름돈을 돌려줬다. 그 후 토큰이 생기고 회수권이 생겨 좀 더 편리해지긴 했다. 가끔은 가득 손님을 태우고 차 문을 두드리며 "오라이"하는 안내양의 소리가 아직도 귓전에 생생하다. 안내 도우미의 안내를 받으며 먼저 도착한 곳은 환상숲 곶자왈 공원이다.

환상숲은 제주시 한경면 녹차 분재로 594-1에 자리 잡고 있다. 특별히 이곳은 숲 해설사가 있어 재미있게 숲 이야기를 들려줬다. 환상숲 곶자왈 공원은 2016년 '제16회 아름다운 숲 전국대회'에서 숲 지킴이상을 수상하였다 한다. 환상숲은 경작지로 쓸 수 없어 예부터 버려진 불모지의 땅이었다. 이런 척박한 땅에서 바위를 뚫고 살아난 생명들과 이 숲을 지켜내고 가꾼 아버지와 딸의 헌신이 있었다. 처음엔 농사를 경작할 수 없는 못 쓰는 땅으로 버려두었다 한다. 그런 땅이 지금은 자연의 숲 그대로를 간직함으로써 더 높은 가치를 인정받고 있다. 환상숲은 다른 곳과 달리 지자체에서 관리하는 도립공원도 아니고 개인이 관리하는 곳이다. 뇌경색을 앓고 있던 아버지가 쓸모없이 버려진 숲을 관리하며 소일하던 중 병이 나았다 한다. 그 후 숲의 매력에 빠져 온 가족이 관리하게 되었고 자연의 가치가 소중해지면서 유명해졌다고 해설사는 들려주었다. 재미있게 숲 이야기를 듣고 오던 길을 우리는 다시 돌아 자연 그대로의 숲길을 다시 한번 느끼며 다음 행선지로 이동했다.

순환버스를 타고 조금 더 가니 저지오름을 안내하는 이정표가 보인다. 저지오름은 2007년 아름다운 숲 전국대회에서 생명상인 대상을 받은 곳이다. 오르는 입구부터 양쪽에 돌담이 쌓여 있고 걷는 길이 정감이 넘친다. 저지오름은 제주시 한경면 저지리에 위치하고, 해발고도 239m, 분화구 정상 둘레 800m, 깊이 62m라 한다. 정상이 깔때기 형태를 띤 원형의 분화구로 분화구 가까이 내려가 볼 수 있다. 수십 년 전까지는 분화구 밑에서 마을 사람들이 유채, 보리, 감자 등과 같은 작물을 재배하기도 했다고 한다. 그러다 마을 주민들의 힘으로 나무를 심어 오늘의 울창한 숲을 만들었다. 제주 대부분 오름이 민둥산이었는데 저지오름은 주민들의 힘으로 숲을 이룬 오름이다. 처음에는 오름 아래쪽에 소나무를 심고 얼마 후 삼나무를 심었다. 삼나무는 소나무보다 크고 빨리 자라 울창한 숲을 이루었다. 민둥산이 울창한 생명의 숲으로 바뀌게 되었다. 왕이메 오름처럼 분화구 바닥까지는 갈 수는 없지만 바닥 근처 전망대에서 분화구 주변을 자세히 바라볼 수 있다. 많은 식물들이 자라고 산새들이 목청껏 노래 부르며 사는 곳으로 아름다운 오름이었다. 예상보다 조금 일찍 내려와 버스를 타고 돌아오는 길에 차창 밖으로 보이는 제주의 돌담과 들판이 정겹다. 볼수록 아름다운 제주라는 생각이 든다.

제주 18일 차

# 뜻밖에 발견한
# 논농사 지구 하논분화구

　제주도에 와 많은 산과 들을 다니면서 궁금했던 것이 논농사였다. 어디를 둘러봐도 논은 없었고, 그렇게 비가 와도 물이 고인 호수나 저수지가 보이지 않았다. 곶자왈 해설사로부터 논농사 짓는 곳이 한 군데 있다고만 들었다. 그곳이 어디일까 궁금했는데 바로 이곳 하논 분화구였다. 산업화 이전 내가 어린 시절은 논농사가 주

류였다. 우리 집에서도 벼농사를 많이 지었기에 제주도 자갈밭만 보기보다는 논을 보고 싶었다. 오늘 이동 중에 우연히 '하논분화구 방문자센터' 안내 간판이 눈에 띄었다.

"여기도 분화구가 있네, 오름도 아닌데 분화구라고?"

궁금한 건 못 참는다. 길옆에 차를 세웠다.

"어떤 분화구인가 잠깐 들렀다 가자."

차를 길옆에 세워두고 몇 발짝 오른 언덕이 바로 하논 분화구 언덕이었다. 언덕 바로 아래 방문자센터 건물이 있었다. 건물 안으로 들어가니 여자분 한 분이 앉아 근무하고 있었다.

"하논 분화구라고 쓰여 있던데 분화구가 어디 있나요?"

"창밖에 보이는 저 아래 지역이 분화구에요. 지금 서 계시는 이 언덕이 분화구 벽이고요!"

"저 넓은 들판 같은 곳이 분화구라고요? 그리고 이 언덕이 분화구 벽이라고요?"

그냥 보면 언덕 저 아래는 영락없는 들판이었다.


"잠깐만 계세요. 제가 여기 센터 해설사인데 잠깐 안내를 드릴게요!" 친절하게 해설을 해주겠단다. 센터 문을 열고 나오니 언덕 아래로 내려가는 계단식 데크길이 보인다. 바로 창문 앞 데크에 서서 설명을 시작했다.

"손님이 서 있는 곳이 분화구 벽이고요. 저 아래 논과 밭이 보이지요. 저곳이 분화구입니다."

"저 아래 보이는 곳이 논농사를 짓는 논이예요?"

놀라운 일이었다. 나는 논농사를 짓는 곳이 어디 있는 줄 몰라 못 보고 갈 줄 알았다. 제주에서 꼭 논을 보고 싶었는데 우연히 지나다 들른 곳이 논이라니 이런 우연이 있나 싶다.

"예! 맞아요. 지금은 제주도에서 유일하게 남은 논농사 지역이지요."

계단 저 아래로 제법 바둑판같이 구획정리가 잘 된 논이 보였다.

"조금 있으면 백로들이 슈퍼에 장 보러 올 거예요. 우리는 저 수로를 슈퍼마켓이라 불러요." 아니나 다를까 흰색 백로와 잿빛 두루미가 연신 수로 위를 빙빙 돌며 오르내린다. 수로에는 각종 물고기며 우렁이 살고 있는 모양이다. 숲 해설가는 숲을 같이 동행하며 해설하지만, 분화구 해설은 한 곳에 서서 해설이 끝난다.

해설사의 해설과 자료를 참조하면, 하논(大畓) 분화구는 제주어로 '큰 논'이라는 뜻을 가진 분화구다. 하논분화구는 서귀포시 일주동로 8823에 자리 잡고 있다. 남북 간 거리가 1.3㎞, 동서 간 약 1.8㎞에 달하는 하논 분화구는 한라산 백록담보다 규모가 훨씬 크다. 5만여 년 전 땅속 마그마가 솟아오르다 지하수와 만나 증기 폭발한 후 오랜 시간에 걸쳐 퇴적층이 쌓이면서 화구호 형태의 분화구가 만들어졌다. 강력한 수성화산이 폭발되어 형성된 화구호수는 세계적으로 희귀하여 기후, 지질, 식생 등 환경정보가 고스란히 보관되어 있는 생태계 타임캡슐이라 한다. 분화구가 원래 크고 용천수가 흘러나와 약 500년 전부터 벼농사를 일구며 살아왔다 한다. 비옥한 토지 탓에, 가구 수도 많아 서귀포 성당의 뿌리였던 하논 성당 터가 있었고, 불교의 봉림사가 지금도 복원되어 있다.

지금은 10여 가구가 벼농사와 귤 농사를 지으며 살고 있다 한다.

"해설은 끝났으니 이제 몸소 걸으며 체험하면 되세요. 수로를 따라 걷다가 산 밑을 돌아 성당 터와 절을 돌아오면 약 1시간 반 정도 걸려요. 즐거운 시간 되세요!"

"아마 산딸기 철이라 잘하면 딸기를 따 먹을 수 있을지도 몰라요."

잊었다는 듯 돌아서는 귓전에 한마디 더 던진다. 친절한 해설에 감사 인사를 하고 체험장으로 출발했다.

분화구로 내려가는 계단은 가파르지만 데크로 잘 조성되어 있다. 계단 옆 분화구 벽에는 귤 농사가 한창이어서 달콤한 귤꽃 향기가 코를 찌른다. 바닥으로 내려오니 수로가 있고 용천수가 솟아 나오는 '몰망소' 터가 있다. 여기서 나오는 물로 벼농사를 짓고 물을 아래로 흘려보낸다. 수로를 따라 걸으니, 왼쪽에는 습지가 펼쳐있다. 축축한 습지에 잡초가 무성하고 노란 야생화꽃이 무리로 피어 있다. 논농사를 위해 물댄 논도 있고 파랗게 자란 미나리 농사가 한창이다. 곧게 뻗은 수로에는 인기척에 놀란 백로가 연신 날개 짓하며 오르내린다. 제주도에 와 오랜만에 보는 농촌의 아름다운 풍경이다. 화산돌로 겨우 밭갈이하는 들판에 물이 없으니 왜가리, 백로, 두루미는 보기 어려웠다. 비록 화산분화구에 흐르는 작은 수로지만 어떻게 알고 찾아왔는지 이들을 보는 것만도 반갑고 기특하다.

수로 옆길을 따라 천천히 걸으니 하논 성당 터가 나온다. 지금은 서귀포 성당에 합쳐졌지만, 천주교로서는 산남지역 최초의 성당으로 유서 깊은 곳이다. 여러 우여곡절을 겪으며 없어졌지만, 천주교가 서귀포에 뿌리를 내린 곳이어서 성지순례의 한 코스로 소중한 장소란다. 천주교 제주교구 순례길이란 커다란 표지석에 하논 성당길이라는 안내 글이 적혀 있다. 큰 느티나무 아래 여기저기에 당시 성당 건물에 사용되었던 돌이 정원석처럼 놓여져 건물터임을 나타내고 있다. 하논 성당길 돌담을 가로질러 조금 더 올라가니 한라산 봉림사라는 절이 나온다. 부처님 오신 날을 기념하기 위해 수많은 연등이 마당 가득 달려 있다. 성당과 마찬가지로 제주 4·3사건의 영향으로 신도가 줄었다가 다시 복원되었다 한다.

분화구 사분의 삼을 돌았는데 그 길이 7-1 올레길인 엉또폭포로 연결되어 있었다. 비가 와야 폭포가 흐른다는 엉또폭포는 8㎞를 더 가야 했다. 기왕 나선 김에 엉또폭포 쪽으로 7-1올레 길을 걷고 싶은 만큼 걷자 하고 출발했다. 얼마나 걸었을까. 저 멀리 오름 하나를 더 오르면 엉또폭포가 가깝다는데 거기까지 가기는 아무래도 무리다. 아내도 발바닥이 아픈지 버스정류장으로 자주 고개를 돌리는 폼이 그만 돌아가자고 하는 것 같다. 엉또폭포 쪽에서 오는 여행객에게 물어보니 폭포는 물이 말라 아무것도 볼 게 없다 하니 오늘은 여기서 돌아가기로 한다. 버스를 타고 다시 차를 세워둔 하논 분화구를 향한다. 버스는 시대를 빙 돌아 하논분화구 앞에 우리 부부를 내려줬다. 덕분에 시간은 많이 걸렸지만, 버스를 타고 시내 구경을 했다. 이것이 깃발을 쫓아 바쁘게 다니는 단체 여행과 달리 자유여행의 특권이다. 언덕 위에서 내려다보는 넓은 하논 분화구는 여느 시골 못지않게 안락하고 평안함이 가득 안겨줬다.

한반도 최대의 마르형 분화구 **하**

위　치 서홍동 1003번지 일대

현　황 - 면적 1,266,000㎡(분화구 바닥면적
- 직경 1,150m / 높이 143m

주요테마 - 한반도 유일의 마르(Maar)형 분화구
- 5만년 기후변화 정보를 보관한 생태

# 서귀포 자연휴양림과
# 추사가 즐기던 안덕계곡

한라산 자락에 있는 서귀포 자연휴양림은 찾았다. 휴양림은 어울림 숲길이 있고 산책로가 있고 차량 순환로가 있다. 어울림 숲길은 생태관찰로와 건강 산책로로 2.2㎞로 40분 거리다. 숲길 산책로는 5㎞의 둘레길로 2시간 정도 걸어야 하니 오늘은 어울림 숲길을 천천히 걷고 차량 순환로 3.8㎞를 차로 돌기로 했다. 어울림 길로 들어서니 생태관찰로가 푸른 숲과 함께 이어진다. 마치 녹차밭으로 통째 빠져드는 기분이다.

어울림 숲길을 나와 순환로를 따라 차를 몰았다. 3.8㎞ 차량이 통과하는 길이 호사롭다. 이런 드라이브 코스가 또 어디 있을까? 순환로는 오직 차로 숲을 즐기도록 만들어져 있다. 앞차가 늦다고 빵빵거릴 필요도 없다. 순환로 중간중간에 간이 화장실도 잘 갖추어져 있다. 순환로를 따라 숲길 산책로가 이어진다. 걷고 싶은

사람들을 위해 숲속 오솔길처럼 두 시간 코스가 마련되어 있다. 연초록 잎이 싱그럽게 피는 봄도 좋지만, 단풍 있는 가을날 걸을 수 있다면 또 얼마나 좋을까 싶다. 계절에 따라 산은 또 다른 느낌을 준다.

멋진 드라이브를 마치고 산방산 쪽으로 오는 길에 천연기념물 377호의 안덕계곡 생태탐방로가 있어 들렀다. 산방산 근처에 숙소가 있어 여러 번 이곳을 지나면서 안덕계곡의 간판을 보았지만 이렇게 좋은 곳인 줄 몰랐다. 평지인데도 이렇게 깊은 계곡이 있는 것은 미국 서부의 그랜드캐니언을 닮았다. 미국 서부 여행 중 말로만 듣던 그 그랜드캐니언이 평지에 거대하게 자리 잡고 있어 놀랐었다. 안덕계곡은 제주 서귀포시 안덕면 감산리에 있는데 제주에서는 흔히 볼 수 없는 생태공원이다. 입구에서 계단을 따라 조금 더 내려가니 계곡의 양쪽 벽이 주상절리의 돌기둥이었다. 중문단지에서 보았던 주상절리 돌기둥을 떼어와 이곳에 설치한 듯했다. 길 아래로 병풍처럼 둘러 퍼진 기암절벽이 놀라움을 주고 평평한 암반 바닥으로 흐르는 맑은 물이 운치를 더해준다. 계곡은 바위를 갈라 물길을 만든 것처럼 보인다. 어떻게 이런 바위가 갈라져 물이 흐르는 계곡이 형성되었나 신비하다.

바위 계곡 양쪽에는 우거진 숲으로 상록수림대가 형성되어 바위 계곡과 잘 어울려 한 편의 동양화를 보는 듯하다. 숲에는 구실잣밤나무, 참식나무, 고사리류와 담팔수, 상사화 등 희귀한 식물들이

많이 분포되어 있다 한다. 이곳 깊게 패인 계곡 속 절벽은 제주 지역의 화산활동과 지질연구에도 귀중한 자료를 제공해 주는 곳이란다. 이곳의 맑은 물은 추사 김정희 선생도 감탄하여 유배를 마치고 돌아갈 때 한동안 머물렀던 곳으로 전해 내려온다. 계곡을 따라 추사 선생이 걸었던 발자취를 느끼며 좀 더 걸었다. 오늘 하루는 한라산 자락 서귀포 자연휴양림과 아름다운 천연기념물인 안덕 계곡에서 자연과 함께 숨 쉬고 멋지게 보낸 것 같다. 제주도는 역시 곳곳에 보물을 감추고 있는 섬이다.

# 모슬포에서 무릉 외갓집까지
## 올레 11코스

   오늘은 아내 여고 동창 부부와 함께 제주올레 11코스를 걷기로
했다. 11코스는 모슬포 하모체육공원을 시작으로 무릉 외갓집까지
총거리 17.3㎞를 걷는 구간이다. 요 며칠 동안 오름이나 자연휴양
림을 돌아 다시 바다가 보고 싶어졌는데 시작을 바다를 끼고 했다.
바위 돌 위에 누군가 올려놓은 하얀 소라껍질과 짙푸른 바다가 환
상의 조화를 이룬다. 바다는 매일 봐도 또 좋다. 해안을 따라 걷는
코스는 다시 들판 길로 접어든다. 아직 파란 밀밭이 있는가 하면
누렇게 익어 황금벌판으로 변한 밀밭도 있다. 제주도가 돌이 많다
고 들었지만 이렇게 돌이 많을 줄 몰랐다고 한마디씩 한다. 밭을
들여다보니 온통 자갈밭이다. 밭을 가는 트랙터가 부서질 듯 자갈
에 부딪히며 굉음을 낸다.

　모슬봉에서 내려와 걷는 들판에는 감자꽃이 하얗게 피어 꽃밭을 이루고 있다. 넓은 들판을 하얀 감자꽃이 뒤덮고 있으니 이 또한 장관이다. 이래서 제주의 매력에 빠져가나 보다. 밀밭이 이어지는가 싶으면 수확을 앞둔 마늘밭이 이어지고 돌담에는 찔레꽃이 만발하여 짙은 향기를 내뿜는다. 한참을 걷다 보면 성당묘지가 나온다. 예수님과 성모마리아상이 공원묘지에 살고 있는 영혼들을 위로하며 서 있는 것 같다.

　이쪽 모슬포 무릉 쪽은 마늘의 주산지란다. 사진도 찍고 낮은 돌담 너머로 수확하는 모습을 보고 있자니 주인인 듯한 사람이 자리를 권한다. 궁금하던 것을 물어봤다.

　"왜 마늘종을 가위로 잘라버리거나 그냥 수확도 안 하고 버려 놓지요?"

"수확해 봐야 육지로 가져가는 데 기름값도 안 나와요. 인건비 하루 수십만 원 나가죠. 마늘종 수확하느라 또 돈 들죠. 대형 트럭 하루 렌트비 주고 나면 뭐가 남아요. 차라리 수확을 포기하는 게 낫지요"

농부의 한 숨소리가 크게 느껴진다. 농부의 하소연을 들어 주다 보니 내가 정책 입안자도 아니고 가슴이 답답했다. '수고하시라.'는 말을 남기고 자리를 떴다.

다시 출발하여 신평 곶자왈 코스를 통과하게 되었다. 제주 본연의 원시림 숲을 통과하는 코스로 자갈과 덤불로 이루어진 숲이다. 밀림처럼 햇빛을 받지 않고 걸을 수 있어 좋고 새소리가 끊임없이 들려와 걷기 좋은 길이다. 아름다운 숲과 들길을 걷다 보니 목적지인

올레길 11코스 무릉 외갓집에 도착했다. 수첩을 꺼내 제주 올레길 11코스 종료 스탬프를 찍고 나니 17.3㎞의 고된 일정이 마무리되었다. 오전 9시에 출발하여 놀멍쉬멍 걸었는지 예상 시간 6시간을 지나서 7시간이 걸렸다. 누가 시켜서는 못할 일이라고 완주의 기쁨을 서로 나누며 하루를 마무리했다.

# 최고의 자연 카페 정방폭포
# 그리고 엉또폭포

제주도에서는 올레길과 함께 많이 사랑받는 곳이 오름과 폭포다.
오늘 찾은 정방폭포는 서귀포시 칠십리로에 자리 잡고 있는 높이
23m, 폭 8m, 깊이 5m 폭포다. 내려가는 입구에 소나무가 멋진
자세로 한쪽 가지를 뻗어 폭포를 안내한다. 소나무 가지가 뻗은 쪽
으로 시원한 물줄기가 한 폭의 그림처럼 쏟아져 내린다. 내려가는
계단이 가파르다. 조심조심 내려가 폭포에 다가서니 폭포는 엄청난
물을 쏟아내며 내리꽂는다.

폭포에서 몇 발짝 옮기면 곧바로 바윗돌로 가득한 해안이 된다. 이번에는 정방폭포의 웅장한 물소리를 들으며 파도에 갈고 닦여진 바위에 앉아 바다를 본다. 바위에 등을 대고 앉아 있으니 세상 편안하다. 마침 가져온 커피를 꺼낸다. 천하에 이만한 카페도 없다.

"천국이 따로 없네요. 이 좋은 곳에서 커피 한잔하는 순간이 최고의 행복이네요. 아마 서울 올라가서도 여기가 또 생각날 것 같아요"

"그러네! 아무것도 부럽지 않네! 비싼 비용 들지 않아도 이렇게 행복할 수 있다는 것이"

아내가 만족하는 것을 보니 나까지 기분이 좋아진다.

다음으로 엉또폭포로 향했다. 어느덧 엉또폭포로 들어가는 입구에 도착했다. 계곡 길을 따라 한참을 오르니 엉또폭포 민낯의 위용이 드러난다. 폭포 전체를 자세히 보기 위해 데크로 된 계단을 따라 여러 개의 전망대가 설치되어 있다. 몇 개의 전망대를 오르니 기암절벽의 엉또폭포다. 물이 없어 아쉬웠지만 절벽을 둘러싸고 이루어진 숲이 얼마나 아름다운지 모른다. 숲속에 숨어있다 나타나는 폭포가 얼마나 신비로울까 싶다. 엉또폭포는 비가 70㎜ 이상 되어야 볼 수 있다 한다.

"세상에 폭포가 체면이 있지 물 한 방울 떨어지지 않는 폭포가 어디 있담! 엉뚱한 폭포일세!"

내가 괜한 투정을 부려본다. 내려오는 길에 무인카페라는 안내판에는 '해 질 녘에 더 아름다운 오두막'이란 글씨가 보였다.

카페 안에서는 비 올 때 촬영된 엉또폭포의 동영상을 볼 수 있다고 적혀있다. 오늘은 웬일인지 문이 닫혀 그 광경도 보지 못했다. 테라스에 올라 내려다보는 엉또폭포 주변 풍경은 너무 좋았다. 카페지기가 감귤밭 입구에 세워 놓은 간판이 아쉬움을 달래준다.

'엉또에 오셨다 가시니 뭔가 좋은 일이 생길 겁니다'

(thank you for visiting here, God bless you!)

# 차귀도 배낚시와
# 제주올레 12코스

제주도 와서 배낚시 한 번 하는 것도 미션이었다. 벼르고 벼르다 무인도인 차귀도에서 배낚시를 하기로 했다. 캠핑카로 이 지역에 머물고 있는 아내 친구 부부가 낚시하는 배를 예약했다. 배 시간은 아직 멀었으니 우선 자구내 포구에 주차시켜 놓고 근처 올레길 12코스를 돌기로 했다. 차귀도 항에 도착하니 길가에 오징어를 말리는 모습을 볼 수 있었다. 배낚시 체험의 설렘은 잠시 뒤로 하고 우리는 근처 당산봉을 오르기로 했다. 당산봉에 오르니 넓게 펼쳐진 고산 평야가 한눈에 들어온다. 고산 평야는 당산봉과 수월봉, 차귀도 등에서 분출한 화산대가 용암대지를 덮으면서 만들어진 화산재 평야라 한다. 이 기름지고 넓은 고산 평야는 약 1만 년 전 제주도에 정착한 신석기인들의 삶의 터전이었다 한다.

바둑판처럼 구획정리가 잘 된 들판에 누렇게 익은 보리와 밀밭 그리고 이곳에서 잘 자라는 파, 마늘, 양파, 양배추, 옥수수, 감자밭 등이 푸르게 섞이며 수채화를 그려 놓은 것처럼 아름다운 모습이다. 고산평야는 볼수록 정겨운 풍경에 빠져들게 한다. 당산봉을 내려와 조금 더 걸으니 보기에도 작아 보이는 교회 건물이 하나 보인다. 들어가는 출입구에「좁은 문」간판이 걸려 있고 겨우 한 사람 통과 할 수 있는 돌대문이다. "길 위에서 묻다'라고 쓰여진 순례자의 교회다. 먼저 들어갔던 아내와 신자 씨가 나오면서 조그만 목소리로 속삭인다.

"결혼식이 열리고 있어요!"
"결혼식이라고요? 아니 이 조그만 데서 결혼식을 해요?"
들어가 보니 놀랍게도 결혼식이 열리고 있었다. 교회 안은 비좁아 주례를 집전하는 목사님과 신랑·신부가 코앞에서 대화하듯 서 있다. 하객이라야 두세 사람 정도 있는 것 같다. 앞에 신발이 총 다섯 켤레 정도 놓여있다. 비좁아 안으로 들어갈 수도 없다.

세상에서 가장 작은 결혼식장이 아닌가 싶다. 아니 가장 작은 결혼식이다. 이런 곳에서 식을 올리는 주인공들이 누구일까? 궁금했다. 백년가약을 맺는 부부가 앞으로 처음 이 마음을 잊지 말고 행복했으면 좋겠다.

'하느님, 부처님, 알라신님, 마호메트님! 이 아름다운 부부의 앞날에 꽃길을 놓아주소서!'

당산봉과 순례길을 돌아 낚시를 하기 위해 다시 차귀도로 돌아왔다. 선장에게 인계하기 전에 안내자가 주의 사항을 몇 가지 이야기하고 질문을 받는다. 각진 모자에 선그라스를 쓰고 조금은 거만한 몸짓과 말투로 이야기한다.

"바다낚시 해보신 분 손들어 보세요?" 손드는 사람이 반도 안 된다.

"주의 사항을 말씀드릴 테니 잘 들으세요!. 바다에 낚시를 던졌는데 묵직한 게 걸려 잘 안 끌려오면 즉시 선장을 부르세요! 100%로 대어가 아니고 바위에 걸린 겁니다. 무리하게 끌어 올리려고 애쓰지 마세요. 낚싯대가 부러지면 개인이 변상해야 합니다."

안경을 한 번 치켜 올리더니 말을 이어간다.

"그래도 안 끌려오면 그건 옆 사람 낚시에 내 낚시가 걸린 겁니다. 낚시를 집어넣을 때도 조심하셔야 합니다. 잘못하면 옆 사람 코나 귀를 꿰는 수가 있습니다. 배를 타면 선장의 지휘를 잘 따라야 합니다. 이상 질문 있습니까?" 수법으로 보아 해병대 출신 같다.

"고기는 잡으면 회 떠주는 곳이 있습니까" 탑승객 중에 누가 큰 소리로 외쳤다.

"많이 잡으면 회 떠주는 식당이 있습니다. 그런데 아마 그럴 일이 드물 겁니다." 모두가 따라 웃었다. 그가 말한 의미는 나중에야 알았다. 왕복 두 시간에 회 떠먹을 만큼 많은 고기를 잡기는 쉽지 않았다. 몇 마리를 잡든 바다낚시를 한번 해봤다는 데 의미를 두어야 할 것 같다.

"자 그럼 승선하십시오!"

드디어 배를 탔다. 만일의 사고에 대비하여 구명조끼를 하나씩 받아 입었다. 차귀도까지는 통통배로 10여 분이 걸렸다. 배가 어느 정도 위치에 오자 배를 멈추고 선장은 초보자들을 위해 낚싯바늘에 미끼 끼우는 법부터 차근차근 설명한다. 낚시에 새우 미끼를 끼워 시범을 보이며 흔들어 보였다.

"잡았다." 너도나도 기대가 한껏 부푼다. 나도 몇 차례 실패한 끝에 우럭이 걸려 나왔다. 좀 큰 것은 손맛이 느껴지는데 작은놈은 언제 잡혔는지도 모르고 끌려 나온다. 1시간 반 정도를 잡았는데 나는 세 마리 잡았다. 그러나 이 시간 동안 한 마리로 못 잡은 사람이 대부분이었다. 큰 고기를 잡았더라면 회라도 한 점 맛보았을 텐데 그렇지 못했다. 작은 고기는 바닷가로 다시 살려주었고 중간 정도 크기는 다른 사람에게 넘겨주었다.

오랜만의 기대하던 바다낚시 체험에 만족해야 했다. 두 시간에 15,000원씩 비용을 지불했는데 네 명이 작은 고기 세 마리는 좀 아쉬웠다. 낚시를 끝내며 웃으며 한 말이 있다.

"사 먹는 게 싸다"

그러나 기회가 되면 또 낚시를 하게 될 것 같다. 바다 깊은 바닥에 살아있는 우럭이 '후드득' 미끼를 물고 흔드는 그 손맛을 어찌 잊을 수 있을까?

제주 23일 차
# 제주현대미술관과
# 김흥수 최형양 작품전

　제주 한달살기 23일 차다. 오늘은 제주시 애월읍으로 자리를 옮기는 날이다. 서귀포 숙소를 떠나면서 가장 아쉬운 것은 용머리 해안을 보지 못한 것이다. 숙소 근처에 있고 매일 몇 번씩 오가는 길가에 있었지만, 용머리해안은 쉽게 허락해 주지 않았다. 거의 매일 전화를 걸어 봤지만 대답은 한결같았다.

　"오늘은 파도 때문에 용머리 해안은 개방되지 않습니다. 죄송합니다."

　펜션 앞마당 가지에 올챙이알처럼 꽃망울을 달고 있던 병솔나무는 새빨간 꽃을 피워 작별 인사를 하고 있었다. "잘 있다 가요!" 화답을 하며 서귀포를 떠난다. 이별이 아쉬워서일까? 아침부터 예보 없던 비가 내린다. 비가 오면 갈 데가 없다.

가는 길에 지난번에 갔다 보지 못한 제주현대미술관을 보기로 했다. 야외 정원에는 여러 조각품과 창작스튜디오, 생태 미술교육관 등이 있어 작가들의 창작활동이나 체험학습의 장으로 다양한 프로그램을 운영하고 있다. 미술관 본관 안으로 들어가니 김흥수 화백의 상설전시장에 그림이 전시되어 있다. 김흥수 화백은 구상과 추상을 한 화면에 결합한 '하머니즘'회화의 창시자로, 한국의 피카소로 불린다고 한다. 대표작으로 '미의 심판'. '두 여인', '나부군상', '전쟁과 평화', '누드', '꿈' 등이 있다. 김흥수 화백 아틀리에가 별도로 있어서 가보기로 하고 특별 전시로 열리고 있는 남다현, 박재우, 이동훈 작가의 '탐색자'라는 작품들을 감상했다.

미술관에는 제주를 소재로 한 여러 작가의 작품들이 전시되어 있었다. 특히 미술관 분관에서 제주의 자연을 모티브로 섬세한 회화를 선보이는 박광진 작가의 상설 전시는 제주의 모습을 한 눈으로 감상할 수 있는 좋은 기회였다. 작가의 〈자연의 소리-유채와 억새〉전은 제주 자연의 매력에 심취해 50여 년을 제주 풍경화에 전착해 온 작가의 모습이었다. 또한 최형양 서담 갤러리에서는 '탐라의 선경을 보다'라는 주제로 작품이 전시되고 있었다. 작품 속 제주의 옛 초가지붕 마을이 마치 돌에 무리를 지은 따개비 형상처럼 보인다. 돌과 바람 유채꽃 그리고 추사 김정희까지 제주를 대표하는 신으로 표현하는 작품이 제주의 깊은 매력을 더해주었다.

마지막으로 들른 김흥수 화백의 아틀리에에서는 사진과 영상이 준비되어 있어 작가의 육성을 직접 들을 수 있었다. 생전의 고인 활동과 독창적 창작물이 나올 수 있기까지 얼마나 어려운 고통이 있었는지 알게 한다. 평소 고인은 3시간 이상을 자지 않고 그림에 매달렸다고 한다. 일본 동경 대 미술학과에 3년 재수 끝에 수석 합격한 천재다. 생존 시 사용하던 화백의 화구가 재연되어 있어 곧 나타나 붓칠을 할 것만 같다. 좋은 그림을 감상하고 마지막 1주를 머물 숙소에 여장을 풀었다.

# 제 4 부.
## 돌아서면 또 가고 싶어지는
## 서북쪽 곽지·애월 (7일)

# 신비의 도로와
# 한라수목원

한라수목원 가는 길에 신비의 도로가 있어 차를 멈췄다. 한라산 중턱 300m 고지에 있는 신비의 도로(일명 도깨비 도로)를 찾은 것은 거의 30년 만이다. 제주도를 몇 번 오긴 했어도 일부러 오기는 쉽지 않았다. 이미 도로 위에는 아이들을 데리고 온 가족들과 여러 대의 차량이 서서 비상깜빡이를 깜박이며 체험을 하고 있었다. 아빠들은 아이들을 위해 음료수 캔을 놓아 오르막을 오르는 신기한 현상을 소개하며 경험하게 하고 있었다. 나도 근처 편의점에서 맥주 캔을 사 도로 위에 놓아 봤다. 맥주 캔은 오르막길을 마치 자가 동력이 작동하는 듯 굴러 오르고 있다. 어른인 내가 해봐도 신기하고 재미있다. 그래서 도깨비 도로는 신비의 도로로 제주의 명소가 되었다. 실험 덕분에 맥주를 샀으니, 저녁에 맥주 한잔할 핑곗거리가 생겼다.

한라수목원은 제주 지역 자생식물에 대한 유전 자원을 보존 연구하고 자연학습장으로 활용하기 위하여 국내 수목원으로는 최초로 1993년에 개원하였다 한다. 한라수목원의 장점은 제주도 자생식물을 한눈에 볼 수 있도록 조성되어 있는 데 있다. 한라수목원은 21ha의 면적에 1,300여 종의 식물 12만여 본을 보유하고 있으며, 까마귀쪽나무, 말오줌때, 새우난, 노루발, 새끼노루귀 등 재미난 식물들이 가득하다. 그 외에도 많은 나무들과 희귀 식물들이 있다. 나무와 식물을 보고 느끼며, 자연과 함께하는 마음을 배우는 장소로 식물이나 나무마다 모두 이름표를 붙여주었다. 고사리 군락지를 살펴보니 비슷하게 생긴 고사리인데도 이름이 각각 다른 개톱날고사리, 가는잎처녀고사리 등 많은 종류의 고사리가 자라고 있다.

연못 수생식물원에는 수련, 순채, 어리연꽃, 노랑꽃창포 등이 예쁜 꽃을 피우고 있었다. 연꽃이 피면 연못은 연꽃 향기로 가득해진다. 수생식물원에 핀 연꽃을 보면서 불교에서 주는 중생의 의미를 다시 한번 생각하게 된다. 더러운 연못에서도 아름답게 피어나는 꽃, 그것은 아무리 혼탁한 세상에서도 휩쓸리지 않고 자신을 지켜내는 인간 본연의 불성(佛性)을 나타내 주는 것이기 때문이기도 하다.

난 전시실도 희귀 난뿐 아니라 제주 용암 등 다양한 볼거리를 제공하고 있었다. 정원처럼 잘 가꾸어진 수목원은 관광객은 물론 제주 도민들에게도 쉴 수 있는 편안한 공간이 아닌가 싶다. 역시 한라수목원은 제주도의 모든 것을 한 눈으로 살펴볼 수 있는 식물원이요 자연 공간이었다.

제주 25일 차
# 비 오는 날 커피 한 잔과
# 민속자연사박물관

아침부터 비가 내렸다. 오래간만에 휴식도 할 겸 용두암 바다가
보이는 전망 좋은 카페를 찾았다. 비 오는 날 바다를 보며 마시는
커피 한 잔은 더 없는 행복감을 느끼게 해주었다. 몇 시간을 쉬며
비가 그치기를 기다렸지만 그칠 줄 모른다. 이제 어디든 자리를 옮
겨야 했다. 더 기다릴 수 없어 쏟아지는 빗속에 차를 몰아 민속자
연사박물관으로 이동했다. 박물관 입구에는 제주의 상징인 큰 화산
암석 덩어리가 종류별로 전시되어 있었고, 수문장처럼 거대한 돌하
르방이 입구 양쪽에서 관광객을 맞고 있었다. 실내로 들어가 보니
그 규모가 생각보다 훨씬 크고 웅장했다. 주요시설로는 제주 상징
관, 자연사전시실, 민속전시실, 제주체험관, 영상관, 시청각실, 해
양 종합전시관, 수놀음관, 수장고 등이 있었다.

문대할망과 삼성

상영시간 :

해안습지대

그중에서도 '오늘 여길 오길 잘 했구나!' 하는 생각이 들게 했던 곳은 영상관으로, 이곳에서는 제주의 아름다운 경관을 스크린으로 볼 수 있게 만들어 놓아 그동안 보아왔던 수많은 장소의 아름다운 모습을 다시 한번 상기하도록 해주었다. 그리고 제주 체험관에서는 직접 제주를 체험할 수 있도록 제주 갈옷도 입어보고 물허벅, 돗통시 체험도 할 수 있어 제주민속 문화를 쉽게 이해할 수 있도록 했다. 또한 혼례 장례 풍습에 대한 이야기도 모형으로 보여주었다. 제주인의 일생을 보면서 언젠가 나의 인생도 저렇게 한 페이지 역사로 남을 것을 생각하며 많은 생각을 하게 되었다.

민속자연사박물관은 반드시 한 번 찾아볼 만한 가치가 있는 곳이었다. 무엇보다 큼직큼직하게 입체적으로 설치된 모든 시설물이 현장을 직접 보고 느끼며 체험하는 듯했다. 큰 기대하지 않았는데 많은 것을 보고 느끼는 뿌듯한 시간이었다. 밖으로 나오니 비는 아직도 주룩주룩 내리고 있었다. 민속자연사박물관은 언제든지 오기도 편리하고 바로 옆으로는 왕 벚꽃 나무 숲길로 이어져 있다. 왕 벚꽃이 피었을 때 이 거리가 얼마나 예뻤을까 다시 오고 싶어졌다.

# 한라산에서 가장 높은 위치의
# 사라오름

　사라오름은 한라산 정상을 오르는 곳과 같은 입구다. 사라오름은 해발 1,338m의 높이에 자리 잡고 있고 둘레가 2,481m, 면적 441,000㎡이고 오름의 높이는 150m이다. 분화구 내에는 둘레 약 250m 크기에 물이 고여 습원을 이루고 있다. 한라산의 백록담을 제외하고는 제주의 오름 중 가장 높은 위치에 있는 맏형격인 오름이다. 분화구는 심한 갈수기를 제외하면 연중 물이 고여 있는 아름다운 산중호수다.

산을 오르는 중간중간 '한라산 탐방로 안내' 표지판이 있어 자신의 현재 위치를 알려준다. 계단을 따라 올라가니 사라오름 분화구가 한눈에 들어온다. 마치 큰 사발에 물이 담겨있듯 분화구 속에 물이 고여 있다. 비가 오면 물이 차서 큰 호수 같겠지만 지금처럼 바닥의 모습은 보기 힘들 것이다. 지금은 가뭄이어서 그런지 물은 자작자작하고 대신 화산석 송이인 스코리아를 볼 수 있어 화산분화구가 훨씬 실감이 났다. 스코리아는 화산분출물 중에서 공기구멍이 많고 검정, 갈색, 빨강 등의 암석이며 지름이 4mm 이상인 암석 덩어리라 한다.

물 가득 고인 산정호수는 포천에서 많이 봤으니 물 마른 분화구의 밑바닥을 보는 것은 나에게 행운처럼 느껴졌다. 사라오름 분화구는 얼마 전까지 화산폭발의 용암이 끓어오르다 식어버린 것 같다. 불그스레한 화산석 빛깔 그대로 수십만 년 전의 모습을 생생하게 간직하고 있다. 자연의 힘이 아니고서야 누가 이런 산꼭대기에 이런 분화구를 만들 수 있을까? 새삼 자연의 위대함에 할 말을 잊게 된다. 가끔 산짐승들이 찾아와 물을 마시고 간다고 한다.

짙푸른 녹음이 비치는 호수에 안개가 넘나들고 겨울에는 상고대가 환상적이라 한다. 그러나 주변의 숲속에 둘러싸인 화산이 있던 분화구의 붉은 돌과 흙은 인공위성이 촬영한 화성의 한 지역처럼 이색적으로 느껴진다.

"그래 이걸 보러 왔어." 분화구가 주는 감동이 힘들게 올라온 피로를 잊게 해준다.

분화구 주변으로 장미과 야광나무가 꽃을 피우기 시작했다. 한번에 새하얀 꽃이 지천으로 피어나 깜깜한 밤에 보면 마치 빛을 내는 것과 같기 때문에 붙여진 이름이라 한다.

사라오름 전망대에 오르니 멀리 한라산 정상이 손에 잡힐 듯 눈에 들어온다. 설치되어 있는 쌍안경으로 보니 정상을 오르는 사람과 백록담 분화구 주위를 도는 사람들의 모습이 마치 개미가 떼지어 움직이는 것 같다. 전망대 저 아래로 멀리 바다가 보이고 제주시가 한눈에 들어온다. 크고 작은 오름들이 조그만 봉우리처럼 보인다. 사라오름의 전망과 분화구의 그림 같은 모습에 감동을 받으며 길을 내려온다. 오늘 다녀온 사라오름의 붉은 분화구는 오래도록 내 기억 속에 남아 있을 것 같다.

제주 27일 차

# 야생노루 촬영에 성공한 절물오름.
# 제주 4·3평화공원과 제주의 아픔

①야생노루 촬영에 성공한 절물오름

절물오름은 지금까지 올랐던 오름 중 특별한 이벤트가 있던 오름이다.

절물오름의 유래는 옛날 절 옆에 물이 있다 하여 붙여진 이름이란다. 현재 절은 남아 있지 않고 약수암만 남아 있다. 약수암에서 솟아나는 용천수는 신경통과 위장병에 큰 효과가 있다고 전해져 제주시는 먹는 물 1호로 지정하여 관리하고 있다고 한다. 이곳은 숲속의 집, 산림문화휴양관, 세미나실, 건강 산책로, 약수터 등 편의시설이 갖추어져 있다. 그리고 제주시에서 약 20분 거리에 위치한 청정지역이라 가족이나 각종 단체에서 교육, 수련회, 야외 학습을 위해 많이 찾는 곳이다.

절물오름은 장생의 숲길로 걸어 올라가면 총길이 11.1㎞로 자연의 숲을 마음껏 즐길 수 있다. 장생의 숲길로 들어서니 빼곡히 들어선 50년생의 삼나무 숲에서 은은한 숲 향기 '피톤치드'가 전신을 감싸 돌며 몸과 마음을 맑고 상쾌하게 해준다. 특히 장생의 숲 입구에는 사람 얼굴을 한 장승이 많이 있는데 이 장승들은 이곳에서 쓰러진 나무를 만들어 깎아 세운 것이란다. 여러 장승의 귀여운 안내를 받으며 숲길 걷기를 시작한다. 숲속 길을 따라가다 보면 유명한 사랑 나무 연리목(連理木)도 볼 수 있다. 산벚나무와 고로쇠나무가 서로 만나 하나로 되었다 한다. 전혀 다른 나무인 산벚나무와 고로쇠나무가 하나가 되어 연리지가 된 특이한 경우이다. 이렇게 간격이 벌어진 장소에서 자란 두 나무가 하나로 된 모습을 본 것은 처음이다.

　연리목을 지나 조금 더 숲속 길을 걸으니, 앞에서 뭔가 부스럭대는 소리가 들렸다. 나무숲으로 우거져 잘 보이지 않았지만 뭔가 움직임이 포착되었다. 바로 야생 노루였다. 앞서가던 사람이 "노루다!"하며 노루가 있다는 것을 일행에게 조용히 알렸다. 숨을 죽이고 관찰하니 노루는 수풀을 헤치며 새로 난 나뭇잎을 따먹고 있는 중이었다. 야생에서 유유히 먹이를 먹고 있는 야생 노루를 보게 될 줄은 몰랐다. 이런 데서 야생 노루를 보다니 행운이었다.

　한참을 더 걸어 절물오름 정상에 올라 멀리 바라보니 1,950m의 한라산 아래로 성널오름, 물장오리오름, 왕관릉, 큰개오리오름, 어승생오름, 샛개오름 등 여러 개의 오름이 한라산을 호위하고 있는 듯하다. 분화구를 직접 내려갈 수 없어 아쉬웠지만 분화구 능선을 따라 한 바퀴 빙 돌며 절물오름의 경관을 만끽했다. 오름을 내려오니 삼나무 우거진 숲길에 아까 출발할 때 보았던 장승들이 귀환을 반갑게 맞이한다. 절물자연휴양림은 숲길도 너무 좋았지만 사랑 나무 연리지를 사진에 담아온 것과 야생 노루를 만난 것이 큰 수확이다.


② 제주 4·3평화공원과 제주의 아픔

　제주는 천혜의 조건을 갖춘 아름다운 곳이다. 제주도가 우리나라에 있다는 것은 우리 민족이 복을 받은 민족이라는 생각을 갖게 한다. 감사한 일이다. 그러나 제주도를 단순히 관광하기 좋은 장소로만 기억하는 것은 제주민의 아픔을 몰라주는 일이다. 제주도는 고려 고종 18년(1231)부터 30년간 7차례의 세계 강국 원나라(몽골)의 침입을 받고, 고려 제31대 공민왕 때 몽골인들을 완전히 토벌할 때까지 100여 년 동안을 원나라의 직할지로 있었던 곳이다. 이때 몽골인들을 대항하여 싸웠던 삼별초 군이 제주도 항파두리에서 마지막 순의를 할 때까지 고통을 겪었던 곳이다. 그런가 하면 1945년 일본의 식민지 통치에서 36년간의 아픔을 겪었던 흔적이 곳곳에 동굴 진지로 남아 있다. 그러다 1945년 8월 15일 해방과 함께 2년간의 미군정이 실시되었고, 1947년 3월 1일 기점으로 다시 한번 제주에서는 격랑의 소용돌이 속에 휩쓸려 있던 곳이다.

제주 4·3사건은 가끔 선거 이슈가 될 때 먼 나라 이야기처럼 뉴스에서 흘려들었던 관심 밖의 사건이었다. 그런데 제주 한달살기 도전 1일 차 성산일출봉 근처에 있는 안내판과 위령비를 보고 이 사건에 대해 관심을 갖기 시작했다. 성산 터진목 4·3 유적지는 성산면 지역주민들이 토벌대에 끌려와 학살당한 한과 눈물이 섞인 현장이었다. 약 400명의 양민이 잡혀 와 학살당했다 한다. 그곳이 바로 성산일출봉이 바라다보이는 아름다운 해변이라는 사실이 믿어지지 않았다. 그 후 학살 현장이라는 표지판은 제주 곳곳을 다니면서 수많은 곳에서 목격할 수 있었고 궁금증은 더해갔다. 그러다 절물자연휴양림에 가는 도로변에 세워진 4·3평화공원을 발견하게 되었다. 오름과 올레길을 걷고 근처를 지나며 이곳을 찾았으나 입장 시간 종료와 휴무 날이 겹쳐 두 번씩이나 허탕을 치게 되었다.

"이제 포기할 거지?"

아내의 말에 어쩔 수 없이 동의하게 되었다. 이제 제주 한달살기도 3일밖에 남지 않아 더 이상 고집부릴 일도 아니었다. 그런데 오늘 일정이 절물오름이었다. 일찍 시작한 탓에 절물오름 13㎞를 걷고도 해는 중천에 떠 있었다. 4·3평화공원은 절물오름에서 가까운 거리에 있다.

"오늘은 휴관일도 아닌 평일이니 마지막으로 기념관에 한번 가 봐야겠네!"

"당신의 끈기는 알아줘야 해! 당신이 우리 집 대장이니 당신 하고 싶은 대로 하셔!"

아내는 가까이에 있는 기념관으로 차를 몰았다. 주차장에 도착하니 많은 차가 서 있고 입장하는 사람들도 눈에 띄었다. 못 보고 가나 싶었는데 다행이었다. 다른 건 몰라도 4·3 기념관에 들러 왜 이 사건이 일어났으며 왜 도처에 많은 제주민들의 아픔이 서려 있는지 알고 싶었다.

작은 사건 정도로 생각하고 찾았는데 평화공원의 규모가 큰데 놀랐다. 평화공원의 문설주는 대문을 상징하는 조형물로 철망 구조물 속에 4·3 당시 희생자를 상징하는 3만 개의 제주석을 채워 넣어 추모하는 곳이라 했다. 저 위로 위령탑이 있고 그 앞으로 각명비가 둥글게 설치되어 있었는데 거기에는 각 동네마다 희생당한 사람의 이름, 성별, 당시 연령, 사망일시, 장소가 기록되어 있었다. 각명비마다 00리 누구누구라는 이름이 새겨져 있었다. 비석은 둥그런 운동장을 한 바퀴 돌며 설치되어 있어 희생자의 규모가 얼마나 큰지 짐작게 했다. 한 마을의 선량한 사람들이며 가장이며 어머니며 아들딸들인 주민들이었다. 이들의 죽음이 무엇을 위한 것인지 어떤 의미가 있는 것인지 말문이 막히고 가슴이 먹먹해졌다.

해설사 도움을 요청하여 해설을 들으며 기념관 안으로 들어갔다. 들어가는 입구는 동굴처럼 꾸며져 4·3 당시 피신처로 활용되었던 천연동굴을 모티브로 조성되었다 한다. 첫 번째 시설물인 관처럼 생긴 물체가 나타났다. 아직 4·3에 대한 정당한 이름을 짓지 못한 백비(白碑)라 한다. 백비는 제대로 이름이 지어졌을 때 비석으로 일으켜 세울 과제로 남아 있다. 백비에 대한 설명이 제주 4·3의 상황을 어렴풋이 짐작하게 한다.

'봉기·항쟁·폭동·사태·사건' 등으로 다양하게 불러온 '제주 4·3'은 아직도 올바른 역사의 이름을 얻지 못하고 있다. 분단의 시대를 넘어 남과 북이 하나가 되는 통일의 그날. 진정한 4·3의 이름을 새길 수 있으리라. 그만큼 제주 4·3은 복잡하게 얽혀 있다.

2003년 애월읍 하귀리는 영모원(英慕) 위령단을 건립해 애국열사, 호국영령, 4·3 희생자 위령비를 한자리에 세웠다. "모두가 희생자이기에 모두가 용서"라는 비문을 통해 화해의 통합을 시도한 것이다. 4·3 평화공원과 기념관을 둘러보며 4·3사건의 과정과 진실을 확인하는 동안 가슴이 먹먹함을 어쩔 수 없었다.

제주 28일 차
# 제주의 뿌리 삼성혈,
# 삼양동 유적지

　　삼성혈은 한반도에서 가장 오래된 유적지다. 삼신인(三神人)이 이곳에서 태어나 수렵 생활을 하다가 오곡 종자와 가축을 가지고 온 벽랑국 삼 공주를 맞이하면서 농경 생활이 시작되었으며, 탐라 왕국으로 발전하였다 한다. 조선조 중종 21년부터 성역화되어 현재에도 매년 춘·추 및 건시대제를 지내고 있다. 전시관에서는 삼성혈의 신화에 대한 모형도와 도지정문화재가 전시되어 있으며, 영상실에서는 제주 개벽 신화인 탐라를 창시하신 삼신인의 용출로부터 탐라국이 발전하여 오늘에 이르기까지 역사적 과정이 애니메이션으로 제작되어 영상물로 방영되고 있었다.

기왕에 제주 탐라국의 탄생 발생지인 삼성혈을 보았는데 근처 해변에 있는 삼양동 유적지가 궁금했다. 삼양동 유적은 제주시 삼양동에 위치하는 유적으로 국가지정문화재 사적 제416호로 지정되어 있다. 대개 유적들이 그렇듯이 이 유적은 1996년 제주시 삼양동 일대 토지구획정리 사업 과정에서 다량의 토기와 함께 청동기시대 집터가 확인되면서 발굴이 시작되었다. 출토 유물로는 각종 토기가 발견되어 청동기시대의 제주인들의 생활상을 알게 한다. 생활 도구로 벌채에 쓰이는 용구, 가공 용구, 사냥도구로 쓰인 돌도끼, 돌화살촉, 돌 끌 등이 발견되었고, 한반도에서 유입된 청동검, 옥팔찌 등도 있어 한반도를 비롯한 외부 지역과도 교류가 활발하였음을 볼 수 있다.

외부전시관은 청동기시대 제주 선사 문화의 생생한 역사를 그려 볼 수 있다. 외부전시관에는 원형 주거지 4동과 굴립주건물지 2동과 다수의 기둥구멍이 발굴 당시의 모습으로 보존되어 있다. 그리고 야외에는 대형 움집 1동, 방향 움집 1동, 원형 움집 11동, 굴립주건물지 1동 등 모두 14동이 복원되어 과거 선인들의 발자취를 더듬어 볼 수 있다. 서울 강동구 암사동에서 선사유적지가 있어 가끔 들려 보지만 이런 유적지를 살펴볼 때마다 그들의 생활사를 유추해 보곤 한다.

숙소로 가는 길에 애월 해변의 붉은 노을이 아름답다. 하늘과 바다가 한 몸이 되어 붉은 기운에 휩싸인다. 태양은 서서히 바닷속으로 빠져들어 가고 노을빛은 점점 짙어져 절정에 이른다. 마침내 태양이 수평선 너머로 사라지고, 어두워지는 수평선 위로 불을 환하게 밝힌 고기잡이배들이 가로등불처럼 떠오른다. 잔잔한 파도가 밀려오는 애월 해변 위로 가까운 제주 공항에서 떠오른 항공기가 하늘을 가로질러 지나간다. 해변로 야자수 나무가 저녁노을에 유럽의 아름다운 거리를 연상케 한다. 하나둘 가로등에 불이 켜지고 불 밝히는 카페의 커피 향이 그윽하게 미간을 자극한다. 이럴 때 커피 한잔의 맛은 가장 행복한 시간에 마시는 인생의 향기이다.

# 삼별초군의 얼이 깃든 제주 항파두리 항몽유적지, 제주 의인 김만덕 기념관

제주 항파두리 항목유적은 13세기 말엽(1271~1273) 당시 세계 강대국이었던 원나라와 맞서 끝까지 항거한 곳이다. 고려 무인의 드높은 기상과 자주 호국의 정서가 서린 삼별초군의 마지막 보루였다. 일찍이 유럽과 아시아 대륙을 거의 정복한 칭기즈칸 후예인 원나라 몽골은 고종 18년(1231)부터 30년간 7차례에 걸쳐 고려를 침략해 왔다. 고려조정은 강화도를 임시 왕도로 하여 강대한 침략군을 상대로 끝까지 저항하였으나 결국 굴복하고 개경으로 환도하게 되었다. 이에 배중손 장군을 중심으로 삼별초군은 끝까지 고려를 지키고자 대몽 항전을 결의하였다.

삼별초군은 남하하여 진도(珍島)의 용장성을 근거지로 항전하였으나 원종12년(1271)에 함락되고 배중손 장군이 전사한 후, 김통정 장군이 잔여 부대를 이끌고 이곳 탐라(제주도) 항파두리에 토성을 쌓고 투쟁하였다. 이후 1만 2천여 명에 달하는 여·몽(麗·蒙) 연합군의 총공격에 항파두성이 함락되고 남은 삼별초 군사 70여 명은 김통정 장군과 함께 붉은 오름에 올라 끝까지 항거하다 의로운 죽음을 맞이했다. 비굴하게 목숨을 구걸하지 않고 장렬하게 목숨을 바친 삼별초군의 죽음에 고개 숙여 뜨거운 경의를 표한다.

항몽 유적지와 멀지 않은 곳에 제주 사람들에게 추앙받는 인물인 의인 김만덕 기념관이 있어 찾았다. 김만덕은 조선시대 후기에 제주도에서 큰 활동했던 평민 출신의 상인이다. 조선 시대 정조실록 등 기록에 의하면 정조 18년인 1794년 갑인년 흉년이 들어 제주에는 백성의 죽은 시신이 더미로 쌓였다. 정조 19년(1795년) 윤이월 진휼곡 5천 석을 실은 배 12척 중 5척이 바다를 건너오다 난파되었다. 이즈음 제주 백성 3분의 1이 굶어 죽었다. 이때 김만덕은 자신의 전 재산을 제주의 굶주린 백성을 위해 아낌없이 내놓았다. 이 이야기를 전해 들은 정조 임금은 그를 크게 치하하고 '의녀반수'의 벼슬을 하사하고 그의 소원인 금강산 관광의 포상을 내렸다 한다.

정조 임금은 신하들에게 김만덕의 덕행을 '김만덕 전기'로 집필하여 널리 알리도록 하였다. 정조 임금의 특명으로 당대 정약용, 박제가 등 많은 학자가 김만덕의 선행을 기록으로 남겼다. 세월이 지나 조선 후기 대표 서예가 추사 김정희가 제주도로 유배를 오게 되었다. 추사 김정희는 의인 김만덕이 세상을 떠난 지 30년이 넘도록 칭송을 받자, 김만덕의 후손인 김종주(3대손)에게 '은광연세(恩光衍世)'(은혜의 빛이 온 세상에 퍼진다)라는 편액을 직접 써주며 김만덕의 선행을 칭송였다. 평민 신분으로 자신이 평생 모은 전 재산을 아낌없이 내어 굶주린 이웃을 살려낸 그의 아름다운 이야기는 제주도민의 큰 자랑거리로 이어져 오고 있다.

제주 30일 차

# 한달살기 제주의 추억,
# 그래도 내 집!

　한달살기 마지막 날이다. 아내는 아침부터 짐 챙기기에 부산하
다. 정리한 트렁크를 차례로 차에 갖다 싣는다. 짐은 차로 실어 배
로 보내고 우린 배낭 하나만 짊어지고 공항으로 가면 된다. 공항에
서 탁송업체 직원에게 차를 인계하면 내일 아침 집 앞까지 배달해
줄 것이다. 공항 가는 길에 한 번 더 푸른 바다를 눈에 넣고 싶어
져 해변 길로 차를 몰았다. 출렁이는 바다! 제주에서는 사방이 바
다여서 조금만 나가도 바다를 볼 수 있다. 처음 한달살기 위해 제
주도에 첫발을 디뎠을 때 한 달은 꽤 긴 기간일 거라 느껴졌다.
기껏해야 3박 4일로 왔던 것이 전부라 관광지 몇 곳 보고 번갯불
에 콩 구워 먹듯 떠났었다. 그러니 한 달은 얼마나 긴 날인가? 그
런데 한 달을 마치고 떠나는 날이 되니 언제 한 달이 휙! 지나갔
는지 가늠이 안 된다.

지난 한 달을 돌아보니 정말 강행군을 했다고 하는 생각이 들었다. 주말, 공휴일도 없이 일(?)했으니 이렇게 열심히 뛰어본 것도 오랜만이었다. 제주 오면 가장 많이 하는 것이 제주 올레길을 걷고 오름을 오르는 일이다. 제주 올레 코스는 총 26코스 425㎞로 되어 있지만 계속 개발되어 현재는 28코스로 되어있다. 코스 어디를 가도 지루하지 않고 새로운 길이다. 긴 코스, 짧은 코스가 있어 자신의 체력에 맞게 걸으면 된다. 올레길 28코스 완주를 목표로 걷는 사람도 있지만, 죽자 살자 너무 욕심을 낼 필요도 없다. 자기가 걷고 싶은 길을 느끼고 감상하며 걷는 것도 좋은 일이다.

너무 목표에 얽매이다 보면 즐김을 놓칠 수가 있어서다. 돌길을 걷다 괜찮은 흙길이 나오면 신발을 벗어 맨발로 걸어도 좋다. 우리는 몇 개 코스는 완주도 했지만, 일부 코스는 좋은 코스만 골라 적당히 걸었다. 어찌 되었든 저 멀리 유럽 산티아고 순례길까지 가지 않더라도 곶자왈과 오름을 걸을 수 있는 제주 올레길은 앞으로도 많은 사람들에게 사랑받는 길이 될 것이다

한달살기를 뒤로 하고 비행기는 제주 공항을 이륙했다. 눈 깜짝할 사이 지나가 버린 아름다운 제주의 추억을 가슴에 듬뿍 안고 집으로 왔다. 집에 도착하니 내 집은 더 편안함으로 맞아 주었다. 객지의 호텔이나 펜션보다 내 집이 얼마나 편안한 안식처인지를 새삼 느끼게 된다. 여독도 풀 겸 커피 한잔을 한다. 다행히 거실밖에 조그만 동산이 있어 제주의 숲에 있는 듯 낯설지가 않다. 진한 커피 향이 거실에 은은하게 퍼져 든다.

# 에필로그(EPILOG)

그동안 여러 군데 여행을 많이 했다. 휴가철이나 방학 때만 되면 여행을 떠났다. 덕분에 가까운 동남아 지역은 물론 서유럽, 북유럽, 동유럽 등 수십 개의 나라를 다녔다. 튀르키예는 두 번씩이나 다녀왔다. 지금 생각해 보면 그때 다녀오기를 잘했다는 생각이 든다. 요즘 여행비는 두 배 이상 올라 부담스럽다. 마음먹었을 때 결행해야 한다. 제주 한달살기도 마찬가지다. 이래서 못 가고 저래서 못 가고 미루다보면 늦는다. 생각이 있다면 바로 실행에 옮길 일이다. 미루다 보면 다리가 떨릴지도 모른다. 은퇴자라면 더욱 그렇다.

경비가 많이 들것을 걱정할 수 있지만 그것도 핑계다. 얼마든지 경비를 줄여가며 생활이 가능하다. 좋은 숙소 값비싼 음식을 먹는 것만이 행복이 아니다. 푸른 바다와 아름다운 자연 속에서 마시는

믹스커피 한 잔이 아니 컵라면 하나가 행복할 수 있다. 좋은 차로 관광지를 휙 돌아보고 가는 것보다 땀범벅이 되어 산티아고 길을 걷거나 제주 올레길을 걷는 것이 행복하고 성취감을 얻을 수 있다. 모든 것은 자신의 처지에서 자신에게 맞게 행동하면 된다. 행복은 남과 비교하지 않을 때 찾아온다.

여행을 계획했다면 철저한 준비를 하는 것은 필수다. 그래야 시간 낭비하지 않고 최대한 동선을 줄일 수 있다. 지역별로 일정을 나누어 숙소를 정하고 정해진 숙소를 중심으로 움직일 동선을 짜는 것이다. 올레코스나 오름 그리고 관광지 등을 구체적으로 계획해야 아쉬움이 없다. 계획이 없다면 좋은 곳을 못 보고 놓치는 수가 많다. 정보야말로 여행을 알차게 하는 비결이다. 필수품을 미리 적어 챙기는 것도 잊지 말아야 한다. 그래야 현장에서 또 사지 않고 경비를 최대한 아낄 수 있는 알뜰한 지혜다.

자! 마음먹었다면 이제 떠날 때다. 하루라도 건강할 때 떠나야 한다. 건강이 허락하지 않으면 가고 싶어도 못 간다. 후회 없는 삶은 하고 싶을 때 하는 것이다. 제주 한달살기는 수많은 오름과 올레길을 걸어야 제대로 하는 것이다. 건강하지 않으면 오름을 오르는 것도, 몇 시간이 걸리는 올레길을 걷는 것도 버거울 수 있다. 다리 떨릴 때 말고 가슴 떨리는 지금이 당신이 가야 할 최적의 시간이다. 그러니 당장 행동으로 옮겨라. "그래! 결정했어!"

\* 참고문헌

- 서귀포시, 제주국제자유도시개발센터, 제주곶자왈도립공원
- 이중섭미술관 홍보전단지
- 제주올레 여행자센터
- 제주 4·3평화재단, 4·3연구소
- 제주특별자치도 민속자연사박물관
- 김만덕 기념관. 추사 김정희 기념관
- 기타 제주특별자치도 세계유산본부 홍보전단지